366

366

رواية

أمير تاج السر

الدار العربية للعلوم ناشرون ش.م.ل
Arab Scientific Publishers, Inc. S.A.L

الطبعة الأولى: 1434 هـ - 2013 م
الطبعة الثانية: كانون الثاني 1435 هـ - 2014 م
الطبعة الثالثة: آذار 1435 هـ - 2014 م

ردمك 978-614-01-0570-6

عين التينة، شارع المفتي توفيق خالد، بناية الريم
هاتف: 786233 - 785108 - 785107 (1-961+)
ص.ب: 5574-13 شوران - بيروت 2050-1102 - لبنان
فاكس: 786230 (1-961+) - البريد الإلكتروني: asp@asp.com.lb
الموقع على شبكة الإنترنت: http://www.asp.com.lb

التنضيد وفرز الألوان: أبجد غرافيكس، بيروت - هاتف 785107 (1-961+)
الطباعة: مطابع الدار العربية للعلوم، بيروت - هاتف 786233 (1-961+)

إلى سوسن إبراهيم دائمًا

تدور أحداث هـذه الرواية، بيـن عامـي 1978 و1979، وقد بنيت على وقائع حقيقية، حيـث عثرت ذات يوم على حزمة من الرسائـل مكتوبة بحبر أخضـر أنيق، ومعنونـة برسائل المرحـوم إلى أسـماء، وكانت مشـحونة بشـدة كمـا أذكر. ضاعت تلك الرسائل، لكن بقيـت أصداؤها ترن في الذاكرة، ليأتي هذا النص.

في الزمان القديم كان ثمة عاشق.

كان مغرمًا بالشمس،

يغازلها حين تشرق،

وحين تغرب، يبكي غروبها

يناديها لتشرق من جديد.

سألوه عن سر ذلك العشق،

فالتقط رمحه وأصاب قلبه.

لم يسقط المطر ساعتها،

تلك كانت دموع الشمس

تبكي عاشقها.

- 1 -

أسماء، أيتها الومضة.

الزهرة.

السحابة.

النبع الذي كان من المفترض أن يسقي، ولم يسق إلا بالقدر الذي كان كافيًا لانسحاقي:

أنا المرحوم، وليس هذا اسمي بالطبع، ولكنه الاسم الذي اقترحته المحنة حين اقتربت من النهاية، وارتديته عن قناعة.

رسالتي إليك ليست عادية، وأعرف أنها لن تصلك في أي يوم من الأيام، ولكني كتبتها. سميتها 366، كناية عن سنة لاهثة، مؤلمة، مريضة، قضيتها في حبك. ذلك الحب الذي كان بلا أمل من بدايته، واستمر بلا أمل، ولم ينته.

أردتها أن تكون رسالة ثورية، هائجة، حرة، كاشفة، وفي نفس الوقت صببت عليها الكثير من عرق المدينة الساحلية، تلك التي أوتني وأوتك ذات يوم، وأوت كل ما يمكن أن تؤويه المدن.

لن تكون الوقائع مرتبة كما حدثت بالفعل وعشتها، فقد عدلت ومحوت كثيرًا، وعدت لكتابة فقرات عديدة، ما كانت موجودة في بداية الكتابة، ولأنني من عشاق حبر الكتابة الأخضر، حتى لو كتبت به مجرد خربشة على باب بيت، أو عبارة بلا معنى

على ظهر أحد باصات النقل العام، فقد استخدمته في هذه الرسالة، اقتنيت قناني متعددة، ومن ماركات متعددة، وسكبتها على الورق، وأحسست به قد منحني طاقة الكتابة، تلك التي لن تصلك أبدًا يا أسماء، وكتبتها برغم ذلك.

لم أحس أبدًا بأنني أسرفت في خوض الوحل، واقتناء الشوك، لأضفر به حياتي التي كانت عادية، مثل أي حياة لشخص مثلي، ولم ينتبني أي شعور بعدم الرضا، حتى وأنا منساق إلى الفجيعة بقدمين، أنا من ألبسهما نعل الفجيعة.

في ذلك اليوم المختلف، في حياتي كلها كما أذكر، أحسست برعشة المحبين لأول مرة.

كانت رعشة حقيقية، وقاسية، لا تشبه رعشات المراهقين حين يلمحون فتاة عابرة في الطريق، يطاردونها بالهلوسة، والضحكات، وعبارات الهيام الكذاب، ويوظفونها فتاة أحلام سيئة في الليالي الوقحة، ثم يستبدلونها بواحدة أخرى، أقل أو أكثر وهجًا، ربما تعبر بعد ذلك. ليس مجرد عرق غزير تبرع به الجسد النحيل، وقد حدث ذلك بالفعل، ولا ازدياد في ضربات القلب بالرغم من أنها ازدادت حد الخطر، ولا تلعثم في اللسان، وقد تلعثم حد عدم الفهم، ولكنه موتي الذي لم أكن أتوقع أبدًا أن أموته بهذه الطريقة.

لم أكن من هواة صناعة الأحلام، في أي فترة من فترات حياتي، يا أسماء، ولا كاتب رسائل مزخرفة لحبيبات يسكنّ قممًا مفخخة، ولن يجدن بالوصل أبدًا، ولا جلست على الدكك في الطرق العامة، أتلصص على مشي الأنثى وعطورها، التفاتتها إن التفتت، وضحكتها إن ضحكت، ولا قصدت الأسواق في موسم الشراء المزدحم، وأشركت حواسي الخمس في صعلكة الزحام

المعروفة، كما يفعل الكثيرون، إلا نادرًا، وحتى حين كانت أمي ترسلني لاستلاف ملعقة سكر أو حفنة بن أو توافه أخرى، من عند إحدى جاراتها الصغيرات، الجميلات، وأنا في سن تضغطني بشدة، لامتصاص قوام الجارة، وإنشاء مساحة إغراء شاسعة، من مجرد سقوط غطاء الثوب عن رأسها، أو انفراج الشفتين عن ابتسامة مرحبة، كنت أذهب منكسًا، وأعود وبالكاد قد رأيت الجارة، أو انتبهت إلى عطر ربما كانت تضعه على جسدها.

لا أنكر أنني عرجت على بيوت الهوى في حي الصهاريج المتسخ، في الطرف الجنوبي من المدينة، في فترة من فترات حياتي المبكرة، قبل أن أنضج، تذوقت الطعم الرديء، وتعرفت على بعض سكانها، بمن فيهم «زهور» الإثيوبية، التي كانت تلقب بملكة جمال الليل، في محيط مرتادي ذلك الحي، و«محبوبة» التي كانت تفاخر بأنها أدت فريضة الحج، عدة مرات، وكتبت عبارات الحج المبرور والذنب المغفور والعود الحميد، على باب بيتها، بنفس النهج الذي يكتب به الطاهرون، والصيني الشهير، «باقر نو ليام»، الذي ولد هناك من أم مواطنة، التقطته نطفة من أحد البحارة الصينيين العابرين، في أواخر الخمسينيات، وحين ماتت بالسل بعد ذلك، كان قد كبر، وأجاد المهنة الوحيدة التي قدر له أن يلم بها في ذلك الحي التعس.

لكنني لم أكن عربيدًا يا أسماء، كما وضحت لك من البداية، ولم أكن صعلوكًا يستحق أن يعشق بلا أمل، ويُردم بمفردات عدم الوصال كلها، تلك التي تخصه والتي تخص غيره من العشاق الغارقين في النزف، نعم أحس الآن بأنني قبيلة عشاق موؤودة، وأدتها معشوقة، دخلتني من دون إذن ولم تخرج، لأنني من أوصد

باب الخروج، وألقى بمفاتيحه حيث لن يعثر عليها أحد.

حين نضجت بعد ذلك، تخرجت في معهد التعليم العالي، وعملت مدرسًا لمادة الكيمياء في إحدى المدارس المتوسطة، ضاعت المرأة العاشقة و المعشوقة من حياتي بشكل مؤسف، من دون أن تكون قد تجسدت أبدًا من قبل، كانت محاليلي الحامضة والقلوية، ومعادلات تركيب المعادن وتفتيتها، وقوانين خلق الجزيئيات، وإنهاء خلقها، تترحل معي في الذهن باستمرار، وتلاميذي قساة ومستهترين في أغلبهم، وكم من مرة أغاظوني، أفسدوا قمصاني وسراويلي المحدودة العدد بمحاليلي نفسها، وزملائي مجرد زملاء في وقت العمل، لم أدخل بيوتهم إلا حين كان يجب علي أن أدخل، ولم يدخلوا بيتي إلا حين ماتت أمي، المرأة الوحيدة التي كنت أعرفها، حتى التقيتك يا أسماء. وباسثناء زميلي في القسم، وجاري على الطاولة المقابلة، شمس العلا الذي كنا نسميه عبقري الكيمياء، ويستحق تلك التسمية بالفعل، لم يقترب أحد مني، ولم أقترب منه كثيرًا.

كان شمس العلا شابًا في أوائل الثلاثينات، نحيفًا، غزير شعر الرأس، وغريب السلوك إلى حد ما، كما سأخبرك لاحقًا، ويملك موهبة فذة في شد طلابه، وزملائه معًا، وكان قد سقط في العشق المجنون، قبلي بعام تقريبًا، تعلق بواحدة من بنات الأسر العريقة في المدينة، ويسعى جاهدًا للارتباط بها ولكن في صمت. والآن قد جاء دوري، لأسقط ولكن بمجيء أعنف، فقد اختارني عشقك الذي لم أختره حقيقة.هو الذي اختارني، جرجرني من حبال القلب، ومرغني في الوحل، وحولني بين ليلة وضحاها إلى متسول غريب الأطوار، يمد قدح الحزن إلى كل شفة يراها تضحك، علها

تلقي إليه حتى ببقايا تلك الضحكة.

بالطبع كان لي أهل يتشتتون في كل أحياء المدينة تقريبًا، وأصلهم بين حين وآخر، وأصدقاء قليلون، وجيران طيبون وأوغاد، ستعرفينهم واحدًا واحدًا حين يأتي ذكرهم.، وكانت لي طرق مشيت فيها، ومقاه جلست عليها ذات يوم، وأمراض مرضتها، وهتافات هتفت بها في ملاعب كرة القدم، وذكريات بعضها مؤلم حقًا، وبعضها مفرح أو عادي للغاية، لكن ما أصابني بعد ذلك، كان شيئًا مختلفًا تمامًا، لن أستطيع تفسيره حتى لك أنت محدثته.

لقد ظهرت طيفًا شفافًا في حفل بلا بهرجة كثيرة، ومضيت تاركة جرحًا أخاذًا، سيظل ينزف حتى يومي الأخير.

- 2 -

لـن تتذكـري أبـدًا أين التقيتك لأول مرة، يا أسـماء، لأنك لا تعرفيـن أصـلًا أنـني التقيتك، وأنني تعمقت فـي لقائك، وصادقتك حـد الجنون، وعرفت بحاسـة قويـة متمكنة، تفاصيلك، التي قد لا تعرفينهـا أنـت نفسـك، وأسـتطيع أن أدرسـك، وأحاضر في سـيرة تملكينهـا، وأملكهـا أكثـر منك، لـن تصدقي أنني كنـت قريبًا منك لأشـهر طويلة، في لحظات مرضك التي ربما تكونين قد مرضته، ورونقك وانبهارك واستيائك، وغرورك، وكل ما يمكن أن يخصك، وتخيلتـه بجـدارة. أتعذب في صمـت، لدرجة أنني أحببت العذاب بشدة، سميته عطر أسماء، صنعت منه نكهات متعددة، رششتها في قلبـي، وأصبـح علـى مر الأيام، عطرًا مفضلًا، وبديعًا، شـمته الدنيا كلها، إلا أنت. وبرغم أن عشقي كان من البداية بلا أمل، فقد تركته ليكون هكذا، مستعرًا نازفًا، أنا الذي ألقي بحطب معاناته كلما خبا، من دون قدرة على تركه يموت.

الزمان، إحدى ليالي الخميس، الليالي المفضلة لإقامة الأفراح فـي بلادنـا، كمـا تعرفين، والمكان ناد شـبه أرسـتقراطي عتيق، في وسـط المدينـة، قريبًا من شـاطئ البحر، يسـمونه النـادي الطلياني، اسـمه اسـتعماري صـرف، لكنـي لـم أر طليانًا أو أشـباه طليان، أو أي غرباء آخرين، يتحاومون فيه في المرات القليلة التي طرقته فيها، ولا أعرف سر تسميته تلك، وإن كانت ملاعب التنس وكرة اليد و

السلة المهجورة، بنجيلها اليابس، والأزهار المحترقة على جانبيها، وطريقة زخرفة الأبواب والنوافذ، وأردية عماله المنسقة إلى حد ما، تدل على أنه كان ذات يوم، إحدى بؤر الغرب المتعددة في بلادنا، وفارقتـه الأرواح القديمـة، لتحـل أرواحنا في المكان، تلبسـه ثياب البيئة المحلية، ويستطيع واحد من أقاربي، مثل "عبد القادر علي"، الذي يعمل موظفًا عاديًا في أحد البنوك الوطنية، ويسكن مع أهله، حيًا شعبيًا في طرف من أطراف المدينة، أن يستأجر مسرحه القديم، ليقيم حفل زفافه.

لـم أكـن أيضًـا مـن هـواة حفـلات الزفـاف الصاخبـة علـى الإطلاق، أعتبرها مناسبات خرقاء يمكن اختصارها إلى أدنى حد، وإقامتها داخل بيت صغير بلا ترف ولا ضجيج، بحضور من يعنيهم أمرها، من أهل العروسين وجيرانهم، لكن المجتمع ليس في صفي علـى الإطـلاق، وكنت أذهب مضطرًا لمشـاركة من أعرفهم، وكان عبد القادر من أقاربي اللصيقين، ومن ثم لا بد من مشاركته حتى النهاية.

أتيت إلى الحفل متأنقًا بحسـب تصوري الشـخصي، ولـم أكن ضليعًـا فـي الأناقـة، في أي فترة من فتـرات حياتي، أرتدي ملابس راعيـت فيهـا أن تبـدو ملابس معلم في مدرسـة، ربما يصادفه أحد تلاميـذه فـي ذلـك الحفـل، ولا يحس بأنه يصادفـه خارج صفوف الدراسـة، أو معامـل الكيميـاء، قميصي أبيض بـلا خطوط إضافية، وسـروالي أزرق فاتح، وعطري واحد من تلك العطور السـائدة في السوق، أظنه كان عطر ماكسي أو جاكومو، أو ون مان شو، لا أذكر الآن بالتحديـد، ولـم تكن لدي حيلة لأجعل وجهي شـديد الفرح، فقد كان وجهًا جامدًا، ممتلئًا بتجاعيد، ورثتها من أسرة لم تورث

سوى التجاعيد.

كان المسرح معدًا بطريقة إعداد مسارح الزفاف المعروفة في البلاد، ثمة ورد أحمر وأصفر وبنفسجي، متناثر في المكان، وأضواء ملونة بألوان قوس قزح، تحلق، وسجاد من القطيفة الحمراء، مفروش على الأرض، وكرسيان مكسوان بالمخمل الأحمر، موضوعان في ركن من أركان المسرح، يجلس عليهما العروسان، ومئات المقاعد البلاستيكية، التي رصت في المواجهة، وقد ازدحمت بالناس والعطور والفرح، وصراخ الأطفال، وثمة فرقة موسيقية من شباب في عشرينات العمر، بملابس سوداء، وشعور طويلة، اسمها فرقة اللهب، تعزف على آلات متنوعة، ومغنٍّ وارف الصوت، يردد:

وكان الليل أشواقًا
ووجهك مشرق فيها
وكان الصبح دمعاتي
التي احترقت أمانيها.
فيا ليلي كفى شوقًا
ويا صبحي كفى تيها.
ستشرق ذات أمنية
وأنسى كل ماضيها.

انتظرت حتى انتهت الأغنية التي أطربتني حقيقة، وصعدت مختبئًا، في وسط عدد من الأقارب إلى حيث يجلس العروسان، حتى أؤدي واجب التهنئة المعتاد، والتمنيات بحياة زوجية سعيدة، وأمسح ذرات من العرق، انزلقت على وجهي، وأنزوي في أحد

المقاعد، حتى يتقدم الليل قليلًا، وأفر إلى عزلتي المنظمة في حي "المساكن" الذي أسكنه منذ زمن، لكنك ظهرت فجأة يا أسماء، ظهرت، لا أعرف من أين وكيف، وكان ظهورك بذلك الشكل المفاجئ، هو الممحاة الكبرى التي ستزيل كل جفاء قديم جافيته للمرأة، وتنبت مكانه خفقات قلب. تعيد جنون المراهقة المفقود، كله، تبقيه قليلًا، وتلغيه، تعيد فوران الشباب المفقود أيضًا، وتبقى معربدة بداخله.

وجدتك أمامي كاملة، سخية الجمال، متهورة في العطر والشعر والسحر، كأنك خرجت من أمنية المغني، التي تحدث فيها عن الإشراق، ومن فوضى عازفي الطبل والغيثار، ومن كل ضحكة ضحكتها امرأة، أو زغرودة أطلقتها أم أو خالة، كأنك المناسبة الكبرى التي تأنقت لحضورها.

حقيقة لا أعرف كيف أصفك، فلم أصف من قبل سوى حلقة البنزين، وهايدركلوريد الصوديوم، والبوتاسيوم لطلابي القساة المستهترين، فقد كنت في تلك اللحظة بحاجة لمعلم آخر، من معلمي علم الجمال، في مدرسة من مدارس السحر، ليصفك لي.

كان ثوبك أسود بنقوش حمراء، لعلها كانت مشاريع أزهار ستنبت، لكن المصمم ألغاها بحنكة، لاستحالة أن تنبت أزهار أخرى، على جسد زهرة، لعلها كانت بذور نجوم، ستزين سماء الثوب لو تركت، وألغيت أيضًا لأن كوكبًا أشد بريقًا، احتل السماء المعتمة، وأضاءها. لم أميز أي إضافات خادعة على الوجه، ولا شبهة استعارة على الشعر الذي تمدد حتى الكتفين، والعطر الذي رجني حقيقة، لم يكن مثل عطري السائد، الذي لا يرج حتى شعرة دم واحدة.

في البداية تأملتك في حذر، وخيل لي للحظة، أنني سأظل ممسكًا بالحذر حتى أبلغ مقعدي، وأنتظر تقدم الليل وأمضي إلى بيتي، كما خططت، لكن الحذر ما لبث أن سقط صريعًا في المسافة بيني وبينك، وفتحت عيني على اتساعهما، جعلتهما مغرفتين شديدتي الظمأ، تغرفان ما استطاعتا.

أظنك لم تنتبهي إلي في تلك اللحظة، ولا في أي لحظة أخرى من لحظات تقدم العشق داخلي، لأنك لم تشاركيني إياها، ولو كنت قد انتبهت، لربما ظننت أن الذي كان يرتعد أمامك، محمومًا في نوبة من نوبات الملاريا، وبحاجة إلى إسعاف، وحقيقة كنت في حمى، وبحاجة إلى إسعاف، ظللت أتمنى قدومه حتى يومي الأخير، وأنا حي الشعور، قبل أن أرحل رحيلي المعنوي.

شاهدتك تصعدين إلى المسرح الملون، تقدمين التهنئة للعروسين، مادة يدًا خلتها من حرير، وتنزلين، تصعدين مرة أخرى بعد أن اشتعلت أنغام فرقة اللهب من جديد، وجاء مغن آخر، أشد صعلكة، وأعلى صوتًا، وردد أغنية راقصة، شاركت فيها برقصة متزنة ونزلت، تابعتك وأنت تمشين، رصدت مشيتك بوله، وأنت تجلسين على مقعد بجوار نساء أخريات يعرفنك، وغرست عيني فيك، سمعتك تتحدثين، ولم أسمعك جيدًا، لأن ثمة مسافة كانت بيني وبينك، وفي اللحظة التي هممت فيها باقتناص ابتسامة زاهية، بدأت شفتاك تنسجانها، تحية لواحدة حيتك، من أجل أن أستعيدها في خلوتي، أو خلواتي التي ستطول كما بدا لي، داهمني أحد تلاميذي الأشقياء بغتة، خاطبني بلقب الأستاذ، وأعادني بلا أي خيار مني ولا رغبة، إلى مختبر الكيمياء، معلمًا صارمًا، كما كنت طوال حياتي، وحين مضى، وعدت إليك من جديد، لم تكوني

موجـودة فـي أي مـكان مـن أمكنـة ذلـك الأثر الطليانـي، لا على المسرح ولا على المقاعد، ولا بين النساء المشتتات حول الأمسية، بشتى ألوانهن وأزيائهن، واللائي تبعثرت وسطهن كالمجنون باحثًا عنك.

لقد ذهبت يا أسماء، ذهبت، ولم تتركي عنوانًا أو موعدًا، أو شبعًا راسخًا، يتجشأ به الجائع في ما تبقى من ذلك الليل المختلف.

- 3 -

وصلت إلى بيتي الكائن، في حي المساكن، في ذلك الخميس المختلف عن أيامي كلها، كما أخبرتك، راكبًا عربة قديمة للأجرة، عثرت عليها بصعوبة شديدة، وكان سائقها في نشوة خبيثة كما يبدو، مشبعًا برائحة عرق الخمارات القوي، ويرقص على أنغام أغنية رديئة، اشتهرت في تلك الأيام، كانت تبث من راديو عتيق، مثبت على السيارة. سماني (الأخ محظوظ) بمبررات يعرفها وحده، و تحدث بصوت النشوة، عن أحقيته برئاسة نقابة سائقي عربات الأجرة في المدينة، ويأبى زملاؤه ترشيحه لها بسبب الحسد، وأنزلني عنوة، في طرف الحي غير المأهول، والمحاط بغابات المسكيت الكثيفة، رافضًا بشدة، أن يتقدم خطوة واحدة، حتى لو دفعت له أضعاف أجرته، واضطررت لقطع المسافة المتبقية على قدمي، أتلفت في حذر، وأتذكر "شلال" المجنون، أحد شخصيات المدينة الشهيرة، الذي قيل أن فتاة عارية، بوجه ثعلب، خرجت له من غابة مسكيت ضحلة، ذات ليلة، وسألته أن يعلمها رقص الباليه.

لا بد أنك تعرفين شلال يا أسماء، فلم يولد أحد في المدينة، أو يمت فيها، أو يعبر بها مجرد عبور، إلا صادفه ذات يوم، يتمايل في الطرق، بما يعتقد أنه رقص باليه صميم.

كان حي المساكن، كآبة موروثة، هكذا أسميه يا أسماء. أنشأته السلطة الحاكمة في نهاية الخمسينيات، ووزعته للطبقة الكادحة،

بيوتًا ضيقة من غرفتين، بلا حوش كبير، ولا مزايا متعددة، ولا فرصة لأي إضافة مستقبلية مبدعة، كان أبي من عمال السكة الحديد المخضرمين، حين منح البيت، وفرح به بشدة، وقريبًا من سن التقاعد، حين صدر قرار مفاجئ بتمليك تلك البيوت لسكانها، والآن أصبح بيتي وحدي، بعد أن ماتت أمي منذ أكثر من عشر سنوات، واختفى أخي الأكبر بخاري، الذي كان مصورًا فتوغرافيا في أحد استديوهات التصوير الشهيرة بالمدينة، وناشطًا سريًا في حزب البعث العربي الاشتراكي، من دون أن أعرف ذلك، واختفى فجأة منذ سبع سنوات، بعد حملات مكثفة من السلطة الأمنية، لمطاردة الناشطين اليساريين، ولم يظهر بعد ذلك أبدًا، لا في المدينة ولا أي مدينة أخرى في البلاد كلها، وظلت صورته وهو يلتقط حقيبة بالية على عجل، يضع داخلها ثيابًا قليلة، ونظارة شمس، وفرشاة أسنان، وعدة أوراق عليها أختام وتوقيعات، ويختفي بلا وداع، ماثلة في ذهني سنوات عدة بعد ذلك، قبل أن يردمها غبار الزمن.

تلك الأيام عرفت معنى الخوف لأول مرة يا أسماء، عرفته خوفًا مريرًا مهلكًا، ليس بسبب اختفاء أخي، الذي لم تتح لي حتى فرصة وداعه، و مطاردة فراره، ومحاولة العثور عليه حيًا أو ميتًا، ولكن بسبب انتقالي إلى دهاليز الأجهزة الأمنية، وتورطي في تحقيقات، ومهاترات، وأساليب بذيئة لم يصدق مطلقوها أبدًا، أنني مجرد مدرس يتيم، وأخ غشيم لبعثي هارب، وأنني ما نشطت سياسيًا أبدًا من قبل، ولا أعرف عن البعث العربي الاشتراكي أكثر من كونه حزبًا متأرجح السمعة، تمنيت كثيرًا أن لا تدخل أفكاره عائلتنا، ودخلت مع الأسف الشديد. وحين خرجت من تلك

الدهاليـز المظلمـة أخيـرًا، وتنفسـت بلا سـعال ولا رغبة في القيء ولا ذعر، كنت بحاجة لشهر كامل، قبل أن أستعيد توازني، وقامتي التي أقف بها معلمًا رصينًا، في حصص الكيمياء أدرس التلاميذ.

كانـت البيـوت شـبيهة ببعضهـا، ومتلاصقـة بشـدة، وكان من الطبيعي جدًا، أن تعرف حتى نملة مهمشـة، تسـكن جحرًا في أحد البيـوت، تلـك الحكايات التي تتخبط هنا وهناك، وعلى مدى تلك السـنوات الطويلـة التـي مـرت على إنشـاء حي المسـاكن، وتوريثه للأجيـال اللاحقـة بعـد ذلـك، لم يخرج من أي زقاق، أو فتحة من فتحاتـه الضيقـة، مواطن يمكن تصنيفه لامعًا، باسـتثناء بائعة الهوى «نجميـة»، التي اشـتهرت لعاميـن فقط، وماتت في ظروف غامضة، ولاعب الكرة «درشـة»، الذي اختطفته الأضواء العاصمية، وطلحة رضوان، الذي تعلق بتجارة العملة منذ كان صبيًا، وهجر الحي منذ زمن بعيد، وعين فيما بعد، وزيرًا للتخطيط، في حكومة شكلها أحد تجار العملة العاصميين الكبار، وضمت وزراء معظمهم ناشطين في ذلك المجال.

كان الحـي شـبه مظلـم حيـن وصلت، والمسـافة مـن الطرف غيـر المأهـول، إلـى الطـرف المأهـول، تبـدو وكرًا محتمـلًا يدس عصابـات جـن أو عصابـات إنـس في جوفه، كان الركض لا يشـبه أصالة المعلمين وتفردهم، والمشي برصانة وبطء، يشبهها، لكنه غير مضمون العواقب.

لـن تصدقـي يـا أسـماء أننـي تذكرتك في منتصف المسـافة، تذكـرت أننـي أحملـك طيفًـا بداخلي، وكان لتلـك الذكرى تأثيرها القوي النفاذ، فقد مشيت بلا خوف ولا تردد وأكاد أخاطبك بوصفك رفيقي الذي يشاركني المسافة، ويعدني أن نصل إلى النهاية معًا.

كانت عند جاري اللصيق «فاروق»، الذي يعمل ممرضًا بالمستشفى الكبير، ويلقب بفاروق كولمبس منذ عرفته، من دون أن أعرف سبب اللقب، جلسة ممتدة كما يبدو، في ركنه الذي يسميه قاعة محاضرات الحياة، ويجمع فيه الراغبين من سكان الحي، والأحياء المجاورة، في كل ليلة، يسمعهم حكايات غريبة، ومغامرات لا أظنها إلا من صنع خياله، لأنني سمعت صوته رنانًا، يملأ فراغًا متمكنًا في ذلك الصمت الموحش، وعند جاري الآخر «حليمو»، الذي كان بحارًا فيما مضى، وأوقف عن العمل، منذ عامين، لا شيء، لأن حليمو نفسه، كان لا أحدَ، في أكثر السنوات التي قضاها جارًا لي في ذلك الحي، الموروث من طبقة آبائنا الكادحين، وفي باقي البيوت المتلاصقة، إما سكون قاحل، وإما ضحكة أو همسة لا تسمع.

كان بيتي مظلمًا، ولم تكن ثمة حاجة لإنارته، بالرغم من وجود الكهرباء في تلك الليلة، وأعرف كيف أدخل في الظلام، وكيف أخرج، وكيف أقضي حاجتي، وكيف أطبخ وأغسل، وأستخدم مكواة الفحم العتيقة، في كي الثياب، في أكثر الليالي حلكة..

لم يكن ذلك تدريبًا تدربته طائعًا يا أسماء، لكنه من صنع كهرباء الأحياء البعيدة كما تعرفين، أو لعلك لا تعرفين، تلك التي لا يعرف أحد أبدًا، متى تأتي، حين تنقطع، ومتى تنقطع حين تأتي، لتنقطع من جديد، وفي حي المساكن وغيره من الأحياء الشبيهة، ثمة مباريات للعب الورق والدومينو، تجرى كلها في الظلام، مسابقات للجري وكرة القدم، تقام في الظلام، ويحضرها المشجعون بكثافة، ولدينا ولد شقي اسمه «خطاب»، كان أبوه نجارًا في هيئة الأشغال العامة، وورث البيت كغيره من الوارثين، اخترع رقصة خاصة،

سـماها رقصة الضوء، يسـتقبل بها السـكان الكهرباء حين تعود بعد غياب طويل، ولم تكن رقصته تلك، تستخدم للأسف إلا نادرًا.

لا أظنـك دخلـت حـي المسـاكن يا أسـماء ولا أظنك مررت بـه حتـى نسـمة عابرة، لأن سـكان الأحياء المنضبطـة بناء وزخرفة وشـوارع مسـفلتة كالحـي الـذي خمنـت بعـد ذلك أنك تسـكنينه، وصادقتـه بدرجـة كبيـرة، لا يعرفون أن ثمة أحياء أخرى، في نفس مدينتهـم، تعامـل بهذه البذاءة، ويصنف سـكانها شـعبيين، من دون اسـتفتائهم، إن كانوا يقبلون بالشـعبية، أو لا يقبلونها، ولقد تجمعنا ذات يوم، بقيادة فاروق كلومبس، ذهبنا لمقابلة طلحة رضوان، تاجر العملة الوزير، الذي كنا نفخر جميعًا أنه خرج من حينا ذات يوم، عند زيارة عابرة شـرف بها المدينة، ضايقناه بوجوه حي المسـاكن الخشـنة، وعرق الشـعبيين وملابسهم، وعطورهم الرخيصة، وخطبة بـلا إعـداد جيـد، أصـر كولمبـس على إلقائهـا أمامـه، وكدنا نقهره تمامًـا، أو بالأحـرى، قهرنـاه فعلًا، بجملة واطئة، خسيسـة، رددها أحد الصبيان ممن تسللوا في وفدنا عنوة، حين قال:

-يا والدي الوزير، تقول أمي باستمرار، إنك تقدمت للزواج من خالتي أمونة عوض السيد، ورفضتك.

- أمونة؟.. من أمونة؟

كان مزاجه متسخًا بالفعل، وهو يردد: أمونة؟..

والصبي يمعن في دلق قاذورات حي المساكن على مزاجه، وهو يوضح: خالتي.

وبرغم أن تلك الجملة الواطئة، الخسيسة، نسجت من حقائق حي المسـاكن التي سـجلتها ذاكرته، ولم يعد بالإمكان محوها، أو

تجاهلها، حتى بعد أن تزوجت الخالة من آخر في نفس تلك الأيام، ونزحت إلى مدينة أخرى، وانقطعت أخبارها تمامًا، إلا أن مجرد استعادتها في هذا الظرف، ودلقها على مزاج وزير متأنق، يشرف المدينة بزيارة عابرة، كان كفيلًا بأن نطرد جميعًا في ذلك اليوم، من دون أن نحصل على وعد بحل مشكلة الكهرباء المزمنة، ضاعت خطبة كولمبس غير المنمقة جيدًا، كأنها لم تلق، وضاعت أناقة الشعبيين، وعطورهم التي أراقوها في ذلك اليوم، وأيضًا أحلام وجبة عشاء مختلفة، حلم الكثيرون من أعضاء الوفد، أن يتناولوها برفقة سعادته.

ما حدث أنني تعثرت في الظلمة يا أسماء، احتككت بطاولتي الموضوعة في الوسط منذ سنوات، ولم أحتك بها من قبل أبدًا، وسقطت على أرض الصالة الضيقة، محدثًا فوضى لم تحدث منذ سنوات بعيدة. شممت الغبار، ورائحة الدم، وسمعت صوت تحطم، لا أدري هل كان تحطم زجاج؟، أم تحطم عظم؟، أم تحطم أعصاب؟. نهضت بصعوبة وأضأت الكهرباء، كان جسدي سليمًا إلا من خدش بسيط على جبهتي، ولا أثر لشيء مكسور على الأرض.

تلك اللحظة أيقنت تمامًا بأنني علقت فيك من النظرة الأولى، وما تحطم حقيقة، وسمعت أناته بوضوح، كان قلبي ولا شيء غيره.

على الحائط المقابل كانت أمي على إطار مترب، تطالعني، وتحتها فراغ مستطيل عشش فيه العنكبوت، كان فيما مضى يحتضن صورة أخاذة، لأخي بخاري، التقطها لنفسه، في لحظة غرور مهني، وانتزعها الأمنيون يوم جاءوا، ولم أستطع استعادتها أبدًا بالرغم من أنني سعيت لذلك، عشرات المرات. كان الرد مكررًا في وجهي،

مـن أصغـر مجند، حتى أكبر صاحب رتبة اسـتطعت الوصول إليه: أن لا أسأل في ذلك الشأن أبدًا.

مـا كان إيجابيًـا، هـو أن أمـي لم تُصنف والدة لإثم، ومن ثم تُركـت صورتهـا التي تتأملني الآن، وتشـاهد وحدها أول تخبطات ولد لم تعرفه كذلك طوال حياتها.

ماذا أفعل الآن؟

السؤال ليس سؤالي الروتيني حين أُجابه بمعضلة من معضلات الدنيا صعبة الحل، أو معادلة كيميائية معقدة، سرقها تلميذ ذكي من دفتر طالب جامعي، وأحرجني بها في وسط التلاميذ، ولكنه سؤال حواسي كلها: البصر، كيف يبصر وجهًا آخر غير وجهك يا أسماء؟، الشم كيف يشم عطرًا آخر غير عطرك؟، اللمس، كيف يوظف في مفردات ليس لك توقيع فيها؟، السـمع، كيف يعود شـعبيًا، محتفيًا بخرافات فاروق وغيره من سـكان حي المسـاكن المعاصرين؟، أو صارمًـا يسـتقبل أسـئلة الأغبياء في الـدرس؟، التذوق، كيف يحب أشياءه الأولى التي نشأ عليها، بلا تكبر ولا طموح؟

فـي لحظـة مـا، وأنا أمام أمي التي تتأملني من داخل الإطار، أحسسـت بأن كل رعشـة ارتعشـتها حتى تلك اللحظة، ليس لها ما يبررها على الإطلاق، فأنا لم أعرفك بعد، ولا شـاهدتك سـوى فـي ذلـك الحفـل العادي، وكنت صاحب ماض لئيم في ما يختص بالمـرأة، ولا يجـدر أن يمحـي هكـذا فـي لحظة ارتبـاك واحدة؟.. كأن اللحظة امتدت أكثر، وسـألت نفسـي مجددًا: من أسـماء؟، ما دواخلهـا، مـا طعمهـا الحقيقي، وهل هي على ارتباط برجل ما، أم

حرة طليقة، ويمكنني أن أساهم في ملء انطلاقها بحبي؟..

لا تستغربي أنني كنت أعرف اسمك في تلك الليلة الأولى، فقبل أن أغادر ما تبقى من ضجيج الحفل، عرفت الاسم وأحببته بجنون، واحدة كانت تسأل عن أسماء ذات الثوب الأزرق المطرز بمشاريع نجوم لم تخط. لعلها أختك أو لعلها جارتك، لا أعرف بالتحديد.

لحظة التساؤل، لم تمتد كثيرًا لحسن الحظ، ووجدتني أعود بذهني إلى الحفل مرغمًا، إلى حيث كانت البداية، التي لن أعرف أبدًا في ذلك الليل المهلوس، إن كانت بداية حياة، أم بداية موت؟، و تذكرت في نفس الوقت، أنني قرأت مرة في إحدى الصحف، عن رب أسرة أمريكي مسالم، كان يذهب إلى عمله في الصباح كل يوم، ويعود إلى بيته في المساء وقد اشترى كيسًا، عبأه بمستلزمات الأسرة، وفي أحد الأيام خرج من عمله كالعادة، لم يشتر كيسًا ممتلئًا بالمستلزمات كما يفعل عادة، ولكنه اشترى سلاحًا ناريًا، عبأه بالرصاص وأخذ يطلق النار على الناس في الشوارع.

ما السبب في رأيك يا أسماء؟

ليس هناك سبب على الإطلاق، هذا الرجل لم يكن مسالمًا في أي يوم من أيام حياته السابقة، فقط اكتشف نفسه متأخرًا، فقد ولد قاتلًا.

هل رأيت يا أسماء؟..

أنا أيضًا لم أكن لئيمًا في ما يختص بالمرأة على الإطلاق، واكتشفت نفسي متأخرًا، فقد ولدت عاشقًا، وعاشقًا لك أيتها المضيئة، حد الجنون.

كنت أشـغل إحدى الغرفتين في البيت، الغرفة التي سـكنتها منـذ وعيـت، وشـاركني فيها بخاري حتى يـوم اختفائه، بينما ظلت غرفـة أمـي مغلقـة منـذ وفاتها، لـم أعرف الكثير عمـا بداخلها ولا حاولـت أن أعـرف، وقـد سـعى بخـاري قبل اختفائـه بعامين، إلى محاولـة تنظيفهـا، وترتيبها، وفرشـها بأثاث جديد، اشـتراه بالفعل، لتكـون ملجـأه، ولـم يسـتطع، أعـاد إغلاقهـا مـرة أخرى وسـلمني مفتاحها الذي لا بد أنني أضعته بعد ذلك.

بـدت غرفتـي موحشـة لأول مـرة، والسـرير الـذي تعـودت خشونته فيما مضى، أشبه الآن بصخرة.

لماذا أتقلب في الجمر؟، لماذا أنا هكذا؟..

لم أكن أملك الإجابة للأسف، وحتى لو كنت أملكها، فلن أستطيع استخدامها ضد عشقك الوليد، ومع التباشير الأولى لبزوغ الفجـر، اسـتطعت أن أغفـو، لكنها غفوة مرابـط في حرب، تمزقها حتى الشفاه لو همست.

فـي حوالـي السـابعة صباحًـا، فتحـت عيني، كانـت الجمعة بهدوئهـا النسـبي، وخلوهـا مـن بعض ظواهـر الأيـام العادية، مثل ضجيـج الشـوارع، وحركـة المغادريـن إلـى أعمالهم فـي كل بقعة فيها عمل، في المدينة الكبيرة.

الجمعة عندي، في العادة، يوم جيد من أيام النشاط، أخصصه لإعـادة البريـق إلـى بيتـي، بعد أن يكون قد فقد فـي الايام العادية، يمكنني أن أكنس الغرفة والصالة الضيقة، والحوش الصغير، وأغسل ثيابي، أرمم طاولة مهتزة، أشد حبلًا للغسيل على وشك أن ينهار، أو اعتنـي بخطايـا ربما أكون قد ارتكبتها، طوال الأسـبوع، وأذهب

إلى صلاة الجمعة، وفي العصر، أذهب أحيانًا لصيد السمك برفقة زميلي شمس العلا، الغريب الأطوار، عاشق فتاة الأسرة العريقة الذي يسعى للارتباط بها في صمت، وفي الغالب أنفرد بهوايتي التي اكتسبتها منذ عامين فقط، وأصبحت جزءًا هامًا من شبعي الشخصي، وهي إعادة تخطيط المدينة على الورق.

هل سمعت عن هواية كهذه يا أسماء؟

هل صادفك من قبل معتوه، يلغي أحياء كاملة من مدينته، بما فيها حيه الذي يقطنه منذ زمن، ويرسم أحياء أخرى، لم تخطر على بال أي معماري؟

نعم، لقد كنت أفعل ذلك، ومنذ أن انتبهت فجأة ذات يوم إلى أن المدينة قد شاخت، وذبلت، وانكسر قوامها القديم، وأنا أعدلها رمزيًا على الورق، أنتقم لها من حي تكدس في وسطها، ورهله، وأزيله، من حي نما كدمل في إبطها، وأزيله، وحين أعرج على حي الصهاريج، حيث الخمارات، وبنات الهوى التعسات، وتجارة البانجو والحشيش المخدر، أضغط على ممحاتي بشدة، وأعيد رسم بيوت فاضلة. ولأن حي المساكن، لم يكن سوى درن آخر من تلك الأدران الكثيرة، فقد أزلته عشرات المرات، وأنبتّ مكانه حديقة، أضفت إليها كثيرًا من الطيور والأزهار، وأنّات العشاق، بعد أن عرفتك.

لم أقترب من حيكم أبدًا، حي البستان، حتى قبل أن أعرفك، فلم يكن درنًا ولا دملًا، ولا عصارة هضم بلا معنى. كان حيًا راقيًا حقيقة، وازداد في نظري رقيًا بعد أن عرفتك، وبعد أن أصبحت من سكانه غير المقيمين، كما سأخبرك.

أحيانًا أظن بأنني غير سوي، وأن في عقلي بقعة اضطراب، ينبغي أن تعالج عند طبيب نفسي، أو عالم روحاني، ثم أعود وأنتصر لحياتي الراهنة، كرجل تجاوز الأربعين بقليل، لم تعبر بحياته سوى النواقص التي لم تعد في نظره، نواقص أبدًا بمرور الوقت.

حوالي الثامنة، وأنا ما أزال ممددًا على فراشي، لم أعثر على أي خلية في جسدي، تنشط وتوقفني على قدمي، سمعت صراخًا بدا لي ينبع من بيت جاري فاروق كولمبس.

لن يكون الأمر خطيرًا، أعرف ذلك، وكانت هذه إحدى العلامات المتمكنة في حي المساكن، خاصة في صباح الجمعة، حين يستيقظ جاري من رقاد مضطرب، بفعل محاضراته الممتدة في الليل، ومخدر البانجو الذي كان من مستخدميه المعروفين، يجلبه من حي الصهاريج، وأحياء أخرى شبيهة بالصهاريج، ولأن الأمر غير خطير، ومكرر وعلامة من علامات حيِّنا كما أخبرتك، فقد قررت أن أعود إلى محاولة النوم مرة أخرى، لأن الوقت ما زال مبكرًا. لكن توقعاتي كانت خاطئة، لم يكن صوت كولمبس العادي، حين يتحدى امرأته، أن تلاعبه الورق وهو يشدها من أذنها، أو يضربها بلا مناسبة، أو يمسكها من ضفيرتها الطويلة، التي لم تغيرها أبدًا منذ رأيتها لأول مرة، ويلقيها أرضًا. كان صوتًا آخر ممعنًا في الهمجية، حادًا، وأشبه بسكين يحاول أحدهم غرسها في لحم حي. نشطت عضلاتي الخاملة كلها، وأسرعت إلى الطريق، كان كولمبس بملابس داخلية قذرة، ملقى على الأرض أمام بيته، وعلى صدره يبرك القبطي «ألبيرت راجي»، أحد سكان حي المساكن الجدد، ويعمل حدادًا في ورشة ورثها عن أبيه، بالمنطقة

الصناعية، محاولًا أن يخنقه، وهو يسب بألفاظ الشوارع الممعنة في البذاءة، وامرأة فاروق بملابس البيت المجعدة، المصنوعة من قماش « الكستور»، تصرخ وتشد ضفيرتها بيديها، ومارة قليلون، يشاهدون الحدث، ولا يتحركون إلا بألسنتهم فقط.

لم يكن كولمبس جارًا مثاليًا، على الإطلاق، ولا جارًا سيكون مثاليًا في يوم من الأيام كما أتوقع، وطوال وجوده في الحي بعد أن ورث البيت عن أبيه أيضًا، كان مدرسة إفساد خرجت عشرات المتمردين على أسرهم، والواهمين بأن يعيشوا الحياة كما يحكيها، وأيضًا تعلم كثير من المراهقين، سكك البانجو المخدر، بعد أن دربهم على استخدامه. لم يشكه أحد إلى أي سلطة من قبل، ولن يشكوه، لأن حي المساكن لا يعتبر أبناءه عاقين، حتى وهم في أعلى قمة للعقوق، ولولا أن ألبيرت راجي لم يكن من السكان الأصليين، ولا سكن الحي إلا مؤخرًا، بعد أن اشترى فيه بيتًا من أحد الوارثين، لما كان سيسبه، ويبرك على صدره، ويحاول خنقه في ذلك الصباح.

مهما كان السبب. ولأنني من السكان الأصليين، كما تعرفين، وجار مرغم على الجيرة، هجمت على الحداد، أمسكته من ثيابه، وأبعدته في عنف، وأدخلت الممرض المفزوع إلى بيته، وانتهى الأمر.

الذي حدث بينهما لم يكن يعنيني في شيء، ولا حاولت معرفته، والحداد استعاد توازنه وهدوء أنفاسه، بعد لحظات قليلة، ومضى في طريقه من دون أن يصرح بشيء، والمارة المتجمعون، انفضوا بلا أي تصور أو استنتاج، وألمح في عيون أغلبهم، فضولًا لم يستطعوا إخفاءه.

في حالات عديدة مثل هذه، وحين يضغطني الفضول الشخصي، كنت أخمن الوقائع، وأرضى بتخميني، أعتبره ما حدث بالفعل، وفي تلك الجمعة، رضيت تمامًا بفكرة أن فاروق كولمبس، تحرش بأخت ألبيرت الوحيدة «مريا راجي»، التي كانت أول امرأة بلحم أبيض، وملابس فوق الركبتين، تسكن حي المساكن منذ إنشائه.

خلاصة الأمر، إن ما أبعدك عن ذهني، قد انزاح الآن، وعدت إلى تأملاتي من جديد.

عند الظهر، وفي صلاة الجمعة، في المسجد الوحيد المقام في وسط الحي، بجهود ذاتية من السكان، كنت هائمًا بشدة، أستحضر علامات الحب الذي يأتي من النظرة الأولى، من قصص قرأتها في كتب من قبل، أو سمعت بها من عشاق خاضوها تجارب، أو شاهدتها على شريط سينمائي، في سينما الشعب القديمة، وأجدها مطابقة لحالي بشكل مذهل: السرحان، الرعشة، الأرق، كتابة الأحلام على كل صفحات التفكير، لم توقظني كلمات مثل: الآخرة والنار، وعذاب القبر، وشجرة الزقوم، بالرغم من أنها رددت كثيرًا، وأيقظتني كلمة واحدة، هي «أسماء» التي وردت على لسان الخطيب، في منتصف الخطبة. أظنه عدد أسماء أمكنة أو أزمنة معينة، لم أركز جيدًا، أبقيت كلمة أسماء في ذهني وحدها، فصلتها عن ملحقات ربما لا تشبهها في شيء، وربما تخنقها إن كانت قاسية.. كان خروجي من المسجد مبكرًا جدًا، وبمجرد أن انتهت الصلاة، ولم أدع فرصة لأحد من المصلين، أن يدعوني لغداء في بيته، وكانت هذه عادة من عادات حي المساكن والأحياء الشبيهة به، أن يتطوع أحدهم حتى لو لم يكن يملك شيئًا، بدعوة

عزاب الحي إلى غداء، وهي في الغالب مجرد دعوات لسانية بلا تنفيذ، ينساها الداعي والمدعو إليها في لحظتها.

كنت أخطط لشيء ما، في تلك اللحظة. لن تكون ثمة رحلة إلى شاطئ البحر لصيد السمك، برفقة «شمس العلا» أو غيره، من هواة صيد بلا غنائم حقيقية. لن يكون اليوم ثمة تخطيط رمزي غبي لمدينة ترهلت واكتنزت راضية.. لقد أخبرت مرة، مهندسًا في مصلحة الأشغال العامة، كنت أعرفه عن تلك الهواية، ولم يضحك، اعتبرها غباء أن أمارس سلطة المساحين والمعماريين وأنا مجرد مدرس كيمياء، وبالطبع كان محقًا، لكن كلمة «مجرد» التي قالها، لم تعجبني، واعتبرتها تقليلًا من شأن المعلمين بشدة.

ذكرت أن في ذهني تخطيطًا آخر، إنه زيارة بيت أسرة عبد القادر، قريبي الذي صادفتك في عرسه ليلة أمس، وقطعًا سافر صباح اليوم، لقضاء شهر العسل في مكان ما، كما هي عادة العرسان في أي مكان. أردت أن أرى صور العرس التي التقطت، وأسأل عنك في حرص إن عثرت على صورتك بينها، فلم أكن أريد أن أبدو مهتزًا، عند أقارب لا أزورهم إلا نادرًا، ولم يزر بيتي أحد منهم منذ ماتت أمي، بوصفي أعزب غير مستحق للزيارة.

يا لحرجي الكبير يا أسماء، يا لاضطرابي، وتفاهتي، وقلة شأني، وأنا أواجه أم عبد القادر وإحدى أخواته المراهقات، في بيت لم أزره منذ عامين، وأطرقه اليوم، أسأل عن صور لا تخصني؟ وتجيبني الأخت وأقرأ في نظراتها ازدراء لم أقرأه في نظرات أحد من قبل:

- هل تريد أن تدخلها درسًا في مقرر الكيمياء يا أستاذ؟، أم تريد أن توزعها صدقات للفقراء في حي المساكن؟. على أي حال

لم نستلمها بعد ولا نعرف متى نستلمها.

ضحكت، وكانت الضحكة عندها، مجرد اهتزاز حبال صوتية، بلا رنين جذاب. كانت هزيلة جدًا، وبعيدة تمامًا في رأيي، عن أي درب يوصل عاشق إلى عشقها.

يا لجرأتها وعدم تهذيبها يا أسماء، ويا لحبك القاسي من أول يوم طرقني فيه. ركبت باصين ممتلئين بؤسًا ملعونًا حتى أصل، خضت في أوحال مكومة، وبرك آسنة، واتسخت ثيابي بجدارة، والآن تجبرني فتاة بلا أحلام كالتي أحملها، على الوقوف مرتبكًا، ومغادرة المكان، وبي جرح، لكن ليس من تلك الجروح التي تنزف وينتهي الأمر لحسن الحظ، أو سوئه، لا أدري، إنه جرح سيلتهب ويظل ملتهبًا حتى النهاية.

وأنا في باص العودة إلى وسط المدينة، أخذت أنهش ذهني المتعب محاولًا أن أتذكر مصورًا بعينه، كان موجودًا ليلة أمس، تذكرت التصوير المكثف الذي التقط الموجودين كلهم، طوال الليلة، ولم أتذكر المصور، ووضعت في ذهني لائحة باستديوهات التصوير التي اشتهرت بتسجيل حفلات الزفاف في المدينة، استبعدت منها تلك الغالية، لأنها أكبر من طموح عبد القادر، ووظيفته، والرخيصة جدًا، لأنها لا تليق، وبقيت ثلاثة، سأزورها واحدًا واحدًا، وسأعثر حتمًا على الذي قام بالتقاط الصور، وأظفر بغنيمتي.

كان سلوكًا طائشًا يا أسماء، وأعرف يقينًا أنه سلوك طائش، ولو كنت مكاني لعذرتني، أنا الآن خارج نطاق المحاسبة، ولن أحاسب نفسي أو أسمح لأحد أن يحاسبني، إلا إذا استيقظت فجأة، واعتبرتك جريرة، وهذا ما لن أسمح به أبدًا أن يحدث.

كان استديو «مشاوير» الذي عمل فيه أخي بخاري سنوات طويلة، إلى أن اختفى، لحسن الحظ، ليس من بين تلك الثلاثة، فلم أعرف له نشاطًا في تصوير الأفراح من قبل، ولو كان بينها لأبتأست بشدة، لأن صاحبه «سمير بحصل»، اليوناني الأصل، كان يعرفني جيدًا بالطبع، وأعرفه جيدًا أيضًا، وأعرف من دون ذرة شك واحدة، أنه سيخبر كل من يمر به، إن كان يعرفني أو لا يعرفني، بأنني جئت أسأل عن صور لعرس لا يخصني بأي شكل من الأشكال، وأذكر حين فر بخاري، وأغلقوا الاستديو، وساقوه للتحقيق، بوصفه مشغلًا لمواطن متآمر على أمن الوطن، انهار لسانه تمامًا، وأرشد عن كل من كان يعرف بخاري أو سأل عنه في يوم من الأيام، أو جلس على مقعد التصوير، من أجل صورة.

خلاصة تلك المشقة، التي امتدت حتى السابعة مساء، إنني لم أظفر بك صورة، تضيف إلى مشاريع أرقي القادمة معنى أخاذًا، أو تأملًا شفيفًا، ذلك ببساطة، إن الأمر لم يكن ممكناً، وقد عثرت في أحد الإستديوهات الثلاثة، على تلميذ عندي، يعمل مساعدًا لتقطيع الصور ووضعها داخل إطارات، في كل يوم جمعة، كي يعول أسرته الفقيرة، كما أخبرني، أحسست بالحرج، واضطررت للجلوس على مقعد التصوير، كأي زبون عادي، تلتقط له صور عادية، بعد أن أخبرت التلميذ بأنني أحتاجها لاستخراج جواز السفر، وفررت من المكان، وفي الثاني على فتاة ذكورية التقاطيع، وسيئة تفاصيل الجسد، بشكل ملفت، تحمل مكنسة من السعف، تطوف بها على أرضية المكان، وأخبرتني بصوت فاتر، إنهم لا يعملون يوم الجمعة الذي يخصصونه للتنظيف، وترتيب المكان، وكان الثالث مغلقًا بقفل محكم، وعلى بابه ألصقت ورقة شبه

ممزقة، تقول محتوياتها: إن المكان مغلق حتى إشعار آخر.

عنـد عودتـي منهـارًا، ومكسـر الأحـلام، إلى حي المسـاكن، عثرت على زميلي، وصديقي الوحيد، من معلمي المدرسة، شمس العـلا، يجلـس علـى الأرض أمـام بيتـي، لـم تكن بحوزتـه صنارة صيـد كمـا كنـت أتوقـع، وأخبرني حالما اقتربت منـه، بأن حبه في خطر، ذلك أن الفتاة الراقية، طلبت منه في صراحة أن يغير اسمه، إلى اسـم حداثي، لأن شـمس العلا لا يعجبها على الإطلاق، ولا تستطيع تقبله اسم أب لعيالها القادمين، وهو لا يستطيع تغييره، لأنه اسـم صوفي، من أسـماء قبيلته الموروثة التي تفخر بها، ولو فعل، لأصبح فجأة بلا أي غطاء أسري.

كدت أضحك يا أسـماء، ولولا أنني في لحظة بؤس عظيمة، لضحكت بالفعل. ليت معضلتي كانت اسمًا موروثًا، أغيره إرضاء لك، إنها معضلة لن يفهمها شمس العلا ولا غيره.

- 4 -

السبت.

يوم تعليمي جديد يا أسماء.

اليوم الذي سأناضل بجسارة، حتى أخوضه بعاديته المطلقة، التي تعودتها منذ سنوات طويلة، وأود أن أتمرد عليها: حافلة النقل العام المتهالكة، المزدحمة بالبشر وروائحهم، والتي تتلكأ في الصباح، تقلني واقفًا، مستاء، معلقًا، من حي المساكن في الطرف الجنوبي للمدينة، إلى مدرستي في الوسط، وأصل مبعثرًا، بلا رغبة في دخول الفصل، أو ابتكار وسيلة جذابة، استدرج بها تلميذًا غافيًا إلى الفهم. القهوة المعكرة، بلا طعم حقيقي، حين يضعها الفراش حمزة، المتسخ الثياب، على الطاولة، ويندلق نصفها على الأرض، ونصفها الآخر على دفاتر التحضير. شمس العلا على الطاولة المواجهة لي، إما منشغل بمسح حذائه الممسوح أصلًا، عشرات المرات، أو بعيد عن الواقع، في أحلام لم تكتمل، عن فتاة أحبها بإخلاص، وأرادته أن يغير اسمه من أجل الحب.

بالأمس وبعد أن عدت من رحلة المشقة تلك، بلا صور ولا خيال ولا موقد إحساس أستخدمه في حلكة الأحلام، التي ستغزوني إن غفوت، تذكرت هوايتي في تخطيط المدينة الرمزي، بعد أن تفهتها وألغيتها، ومسحت بها الأرض، تذكرتها ليس بثيابها القديمة، ولكن بثياب جديدة، عذبني يقين غريب أنني أستطيع أن

ألبسها لها.

لن أخطط المدينة أو أعدل ترهلها، في ذلك الليل يا أسماء، ولكن سأخططك أنت، وبديهي لست في حاجة لأزيل ملمحًا، أو أعدل آخر، لأن الصورة الماثلة في خيالي كانت من الكمال، بحيث أني ارتجفت وأنا أفكر في رسمها. تخطيط المدينة وتعديلها كان عملًا عاديًا، لا يحتاج إلى موهبة، مجرد مربعات ترسم، ومستطيلات تزال، وحفر تردم، ونواقص أخرى، تكمل ولا شيء آخر، لكن تخطيط الجمال عمل آخر، لم يجده في الدنيا سوى جبابرة قليلين، أخاذين.

جلست على الطاولة القديمة الموضوعة في وسط الصالة، والتي تعثرت فيها لأول مرة في الليل. جلست بلا عشاء، ولا رغبة في تذكر العشاء أصلاً، محاولاً أن أنهب وجهك من الذاكرة التي تحمله، أسجنه في لوحة، ستكون إن أنجزتها، أولى لوحاتي على الإطلاق، ولم أكن رسامًا. أمامي أوراقي البيضاء السميكة التي طالما ملأتها من قبل، وكثير من الأقلام الملونة، وكان ما ينقصني في تلك اللحظة، إصرار يعادل شقائي، ويرسم معي، وأعرف تمامًا أنني لن أرسم بوصة واحدة من وجهك بلا معاونة.

بدأت بالعينين، أكملتهما سريعًا، بالشفتين، أنجزتهما أيضًا، بالأنف، ببقية الملامح، أنجزتها في سرعة مريبة، وحين تأملت لوحتي بعد ذلك، صعقت.

لم أرسمك يا أسماء، لم أرسمك يا حبيبتي، لم أرسم حتى شعرة واحدة صحيحة من شعر شاهدته مدلوقًا، يعانق الكتفين، واكتشفت أنني رسمت وجهًا أخرق، وجها بيئيًا شعبيًا من وجوه حي المساكن، التي ضايقت تاجر العملة الوزير، ولو عرضت

اللوحة في الطريق، لتنازعت عليها العابرات، كل تدعي أنه وجهها.

مزقت اللوحة بحقد، ألقيتها على أرض الصالة، وركلتها بقدمي، كانت التاسعة مساء كما يبدو، لأن جلسة جاري كولمبس اليومية، قد ابتدأت، الصوت المتمكن في الليل، يحكي، ناسيًا، أو متناسيًا لحظة الموت الصباحية على يد حداد قوي. هكذا فاروق كولمبس، وهكذا شعلته الضالة التي لن يطفئها سوى موت مباغت، وأظنه كان سيحدث في ذلك الصباح، لولا أنني كنت يقظًا، مؤرقًا فيك، كأنك أنقذته يا أسماء. منذ عامين تسلل بعد جرعة مجرمة من البانجو، إلى خيام أعراب من قبيلة "الرشايدة"، يقطنون قريبًا من المدينة، ويعملون سرًا في التهريب، باستخدام مراكب البحر. لا يدري أحد كيف وصل إلى هناك وليس ثمة دربًا ممهد، أو مواصلة تقل العبث إلى مضارب الخيام، ولا يدري أحد عن ماذا كان يبحث في بيئة، تستخدم مفردات البادية بكل عيوبها وحسناتها، بالرغم من أنها لا تبعد عن بيئة المدينة كثيرًا، وتلك الطعنة التي أحدثت جرحًا سطحيًا، قريبًا من قلبه، لم تكن طعنة حضري، كما ادعى الأعراب البادون، وهو يروجون شهادات حتى من نسائهم وأطفالهم، عن عربة ألقته بجوار الخيام ومضت، لأن الحضر إن طعنوا، فهي طعنة الموت. وحدهم أعراب الرشايدة، من يمكن أن يضع مثل ذلك الجرح المميز، الذي يشفي غلهم، وفي نفس الوقت، لا يدخلهم في صراع آخر مع السلطة التي اتخذتهم أعداء منذ وجدوا، بعد هجرات من الجزيرة العربية، سمتهم مخربين للاقتصاد القومي، وتطاردهم كلما سنحت الفرصة بذلك. وفي العام الماضي وأثناء إدلائه بشهادة في المحكمة، عن اغتصاب طفل، نقل إلى قسم الحوادث بالمستشفى، حيث يعمل، تعرفت

عليه إحدى بائعات الهوى من حي الصهاريج، وكانت موجودة بالمحكمة، مصادفة، من أجل قضية أخرى، باعتباره الرجل الملثم الدموي، الذي زارها في إحدى الليالي، قيدها بحبل، وكسر يدها، وسرق حصيلة مجهود عدة أيام قضتها ممزقة تحت متعة ميكانيكية، وبالرغم من أن أحدًا لم يأخذ حديثها محمل الجد، ولا ساقت دليلًا واحدًا، يدين كولمبس، إلا أن تلك الحادثة، أثرت علي عمله كثيرًا، وكاد أن يفقده.

ما عليك من فاروق يا أسماء، رسالتي تستحضره، لأنه من سكان حيي، ولأنه جاري اللصيق، ولأن العشاق حين يكتبون إلى معشوقاتهم، كما أتخيل، يودون لو عرفن حتى ببعوض البرك، الذي ينشط في الظلمة، ليمص دمهم، وطنين الآذان الذي يحول آذانهم إلى طبول، ولصوص السر الذين، يكتبون الأذى على خصوصياتهم.

قلت إن اللوحة تمزقت لأنها لم تكن جديرة بأن تبقى، وعاد مرة أخرى وسواس الصور. لن أحظى بأرق سعيد ما لم أحصل على صورتك، وبعدها سيرتك التي كنت أتعشم أن تكون سيرة امرأة في الربيع، وسط بستان نضر، ولكن بلا رفيق، لأنني الرفيق الذي سيسطو فجأة على وحدتها، ويشاركها الربيع.. زهرة.. زهرة.. وقطر الندى، قطرة..قطرة.

في الصباح سيكون تلميذي العامل في محل التصوير، مقيدًا في حصص الدراسة، وهو أصلًا لا يعمل إلا في أيام الجمع، والاستديو الآخر، بفتاته الذكورية، قد انتهى تنظيف أرضيته، وفتح لتلقي الزبائن، ويمكنني أن أتسلل خفية إلى السوق، وأعود بغنيمة مجدية.

السؤال الحائر الذي كان لا بد أن أسأله لنفسي، السؤال الضار

ولكن لا بد من تذوق ضرره، حتى لو للحظة:

ماذا لو عثرت على الصور، عند أحد المصورين اللذين زرتهما بالأمس، ولم يسمح لي بتأملها، واقتناء صورتك من وسطها إن عثرت عليها؟. لو صرخ المصور الذي أجدها عنده، في وجهي فجأة، وطالبني بهويتي، والتم الناس؟

ليس عندي إجابة يا أسماء.. ليس عندي إجابة اليوم، ولا أدري كيف أحصل عليها.

في الواحدة صباحًا، وبعد أن مرت أصوات الليل كلها على أرقي، ابتداء من سخط القطط على بعضها، وعواء الكلاب بمناسبة وغير مناسبة، وأصوات الصراصير، وضفادع البرك الآسنة، وانتهاء بلهاث لص أو عابر سبيل، يطارده مأزق، جاءتني الكتابة، وهكذا ابتدأت:

366، لم أسمها هكذا في تلك الليلة، لأنني لم أكن أعرف إلى متى سأظل عاشقًا بلا وصال ولا شخصية مستفزة، تحرك شيئًا داخلك، إن التقيتك، ربما يكون الأمر مجرد نزوة عابرة، سيزول غبارها بمرور الزمن. ربما يكون نزوة أكثر رسوخًا، ينهد فيها حيلي وأسقط، وربما كما كنت آمل، أن يكون عشقًا مثمرًا، أقطف ثمراته بمشاعري.

في درج صغير بالطاولة، يوجد دفتر قديم، غلافه أسود، مكتنز بالورق، اقتنيته ذات يوم لأنني انتويت في تلك الأيام، أن أضع مقرري الشخصي في مادة الكيمياء، بناء على خبرتي، واحتكاكي بالتلاميذ لسنوات ليست بالقليلة، وأعرضه على الإدارة التعليمية، من أجل أن تجيزه أو ترفضه، كما فعل زميلي شمس العلا ذلك

من قبل، وأجيز مقرره بجدارة. لم أكتب على الدفتر كلمة واحدة، ولا حتى افتتاحية بسيطة أدخل بها، وألغيت الفكرة تمامًا، لن أكون سوى ذلك المدرس المقهور، في إحدى المدارس المتوسطة، حتى لو صرت "روبرت بلسن"، مخترع اللهب الذي نستخدمه اليوم في معامل الكيمياء، أو مخترعة الراديوم المشع، "ماري كوري". سأستخدم الحبر الأخضر يا أسماء، ذلك ببساطة شديدة، أنني أعشقه، وهو الوحيد المتوفر لدي، أستخدمه في تصحيح دفاتر التلاميذ بدلًا عن الأحمر، برغم اعتراض مدير المدرسة على ذلك، لم أكن أحب الأحمر يا أسماء، يذكرني بالدم، بالفضيحة، بالحرب، بالمشاكل، بمصارعي الثيران الأسبان الذين شاهدتهم مرارًا على شاشة التلفزيون، يدهسون بسببه، ولأن أخي بخاري، وصف بأنه أحمر، في كل لهجات التحقيق التي حققت معي بسببه.

كتبت: أسماء...أسماء.. أسماء

ثم توقفت. غداً أكمل الحكاية، بعد غد أكملها، بعد بعد غد أكملها، لو عثرت على غد أو بعد غد، أو بعد بعد غد..

أظنها كانت الثالثة صباحًا، حين جف الأرق فجأة، وانكفأ رأسي على الطاولة، لا أعرف بالتحديد.

انتبهت وأنا جالس على طاولتي في المدرسة، أن موعد درسي الصباحي قد بدأ، وأن طلابًا أذكياء وأغبياء على حد سواء، ينتظرون.

كان شمس العلا، عبقري الكيمياء، المضطرب، حتى وهو في قمة سرحانه، قد ذهب، ولا أعرف إن كان قد قرر تغيير اسمه أم لا؟، والقهوة، لا أثر لها على الطاولة، لأن الفراش المتسخ الثياب،

أتى، واستعاد كوبه المدلوق، من دون أن أنتبه.

يا للكارثة، هذا يحدث لي وأنا ما أزال بلا أي خطوة جادة، ولا معرفة ولا رذاذ حب، ماذا يحدث لو كنت غارقًا؟

حين وقفت في الصف، وقبل أن أبدأ درسي عن تفاعل العناصر، وإمكانية الحصول على غاز سام مثل أول أكسيد الكربون، من معادلة بسيطة، رفع تلميذ الأستديو العامل في تقطيع الصور، إصبعه:

- أستاذ.. متى ستسافر إلى السعودية؟

- السعودية؟..

كان سؤالًا غريبًا لم أتوقع سماعه أبدًا، في حصة الدرس، لكن إحساسي بغرابته، ما لبث أن زال سريعًا حين تذكرت فخ التصوير الذي سقطت فيه عصر أمس، ووضحت أمام التلميذ، أنها صور لاستخراج جواز السفر. كانت الهجرات المكثفة إلى دول الخليج العربي، قد بدأت في تلك الأيام، ولم يكن مستبعدًا أبدًا، أن يهاجر مدرس للكيمياء، لاحقًا بالركب، بحسب تحليل التلميذ. أنا مهاجر أيضًا، ولكن إلى أسماء، أوشكت أن أعلن ذلك للتلميذ، وزملائه، وانتبهت إلى استحالة ذلك، وكانت الإجابة على لساني متحفزة.

حوالي التاسعة، وفي موعد الإفطار الذي يستمر حتى العاشرة، ويسرح له التلاميذ من فصول الدراسة، كنت في السوق، أتسكع مترددًا، أمام استديو «عنتر وإخوانه»، الذي يعمل فيه تلميذي الفقير أيام الجمع، ثم أنهي ترددي أخيرًا وأدخل.

عثرت على موظفة شابة، لم تكن موجودة يوم أمس، وبدت

لي بتذوقي الجديد للمرأة، الذي بت أحمله منذ رأيتك، أنها سلسة، وودودة إلى حد ما، وفيها جمال، يمكن أن يوقع بعاشق مثلي، في زمن ما. سألت في البداية عن صوري التي التقطها لي مصور الإستديو يوم أمس، وكانت موجودة في ظرف صغير، مقصوص بلا عناية، أخرجته الفتاة، من صندوق ممتلئ بالأظرف المماثلة، وسلمته لي، بعد أن تأكدت من مطابقتي لمحتوياته.

هذا ليس غرضي يا فتاة،

هتفت في سري، وأنا أضع المظروف في جيبي، وأحاول أن أسأل عن الغرض الحقيقي، من دون أن أبدو نشالاً أو متلصصًا أخرق، وفي النهاية، وبعد أن تأكدت بأن ابتسامتها لا تشبه ابتسامة اليوناني سمير بحصل، صاحب استديو مشاوير، ولا «حكيم الدرل»، أحد رجال الأمن الذين سعوا وراء أخي بخاري، وانكويت بابتسامته شخصياً، في الدهاليز المظلمة، قلت:

- هل قمتم بتصوير حفل زفاف، ليلة الخميس في النادي الطلياني؟

اهتمت الفتاة لسؤالي بشدة، كأني كنت أسألها عن صحة والدتها، أو أبشرها بزيادة راتبها، في تلك الوظيفة الخامدة التي لا تنبئ بأي مستقبل، اعتذرت بلطف بأنها كانت غائبة منذ الأربعاء بسبب عارض صحي، وبحثت في الأدراج المتراصة من حولها، وسجلات التصوير الخارجي، يدها اليمنى تتقافز بين الأرفف، واليسرى تلاحق خصلة شعر متمردة، تسقط على عينها، كلما رفعتها، أخيرًا وبعد عدة دقائق، قالت:

- نعم زفاف عبد القادر على سلمى.

زفاف عبد القادر، هذا أعرفه جيدًا، لأنه زفاف قريبي، لكن سلمى للأسف لم أكن أعرفها. اكتشفت فجأة، بأنني ذهبت إلى عرس لا أعرف عروسه، وزاد ذلك من يقيني بأنني كنت ذاهبًا لأراك أنت يا أسماء، المناسبة الكبرى التي تأنقت من أجلها من دون أن أدري.

سؤالي الثاني كان أصعب، ويحتاج إلى تدريب طويل، في مقاومة الحرج، حتى أسأله، ولم أكن مدربًا بكل أسف، ظللت أكثر من عشرين دقيقة، أتلكأ ببصري في الصور والإطارات الفارغة، المتراصة على الأرفف الزجاجية، داخل الأستوديو، ومن طرف عيني، أتتبع الفتاة، أجدها قد أخرجت قلامة للأظفار من حقيبتها القماشية، الموضوعة أمامها، عملت بها على ظفرين ناتئين في يدها اليسرى، وأعادتها إلى الحقيبة، التقطت إصبعا لطلاء الشفاه، بني اللون، مررته على شفتيها بسرعة، التقطت سماعة الهاتف، وأعادتها إلى مكانها، من دون أن تجري اتصالاً، دخل زبون يرتدي ثوبًا وعمامة وحذاء من جلد النمر، التقط مظروفًا شبيهًا بمظروفي، وخرج، وارتفع صوت امرأة من الطريق، يصرخ: يا يحيى، يا يحيى.. يا ابن الحرام، وفي اللحظة التي شاهدت فيها الفتاة، قد بدأت ترتبك، وتهتز أطرافها، ربما لشعورها بأن ثمة خطأ ما في وجود زبون، لفترة أطول من اللازم، وربما لسبب آخر لا أعرفه، اخترت إطارًا فارغًا من الخشب المدهون باللون الذهبي في أطرافه، كان موجودًا من ضمن أطر عديدة، موضوعة على الأرفف بجانب الصور، وضعته أمامها، قلت بهدوء، أحسست به ليس هدوئي، ولكنه هدوء شخص آخر:

-آسف..كنت أنتقي إطارًا لإحدى الصور الموجودة عندي

بالبيت، وتحتاج لإطار..

- لا عليك.

عاد ودها القديم، إلى وجهها، كأن لم يذهب.

- هل ما زلتم تحتفظون بصور تلك المناسبة التي سألتك عنها منذ قليل؟،

- لا للأسف، استلمها أهل العريس صباح اليوم.

ردت بما يشبه الجفاء، ووضعت الإطار الذي انتقيته عشوائيًا، داخل كيس كبير من البلاستيك الأبيض، مكتوب عليه اسم الاستوديو وعنوانه وهاتفه، سلمتني له، وأضافت:

- شرفت محلنا كثيرًا يا سيد. مع السلامة.

هل رأيت يا أسماء ؟ هل رأيت ما يحدث للعاشق حين يعشق طيفًا بعيدًا؟، حين يعشق زهرة لم يلمسها بعد، ولا يعرف إن كانت مضمخة بالشذى، أم مثقلة بالشوك؟.

الفتاة الموظفة، انتهت مهمتها بطعني، بإدمائي، بالتمثيل بجثة الصبر في داخلي، وأخيرًا حذفتني من المكان، بذلك اللطف الكبير، ذلك أنني لم أكن زبونًا خفيف الظل، يتسلم أغراضه برشاقة ويمضي، ولا ثقيل الظل من النوع الذي تحب ثقل ظله الفتيات، يبقى ليغازل، ليقول كلمة لا تعني شيئًا، وفي نفس الوقت، تعني الكثير. كنت لا أحدًا بالنسبة للفتاة الموظفة، كما أنا لا أحد بالنسبة لك، في ذلك الوقت، وفي أي وقت آخر.

الصور عند أهل عبد القادر، تفصلني عنها مواصلتان شاقتان، ممتلئتان بالبؤس، وغبار، وبرك آسنة، وأم لا تعشق تطفلي كما يبدو، وفتاة مراهقة، هزيلة، لا تحمل طموحي، ولن تحمله،

وتحمل نظرات ازدراء في عينين ضيقين، لا تشبهان عينيك أبدًا.

خرجت من معركة العاشرة صباحًا، منهزما بجدارة، وعدت إلى المدرسة من جديد، لم يكن في نيتي أن أدخل الفصل مرة أخرى في ذلك اليوم، سأشتت ما تبقى من الحصص، في جداول زملاء آخرين، ليسوا عشاقًا، ولا يبحثون عن أطياف ضائعة.

سأدعي المرض المفاجئ، وحقيقة لن أدعيه، لأنني مرضت بالفعل، في ذلك الصباح.

كان من المفترض أن أحتضن خيبتي، أعود إلى بيتي في حي المساكن، مصطحبًا خوائي، لكن ذلك لم يحدث، ببساطة شديدة، أنني لم أسمح له أن يحدث. كان الكنز عند عنتر وإخوانه، وانتقل إلى بيت امرأة لا تحبني، وفتاة جاهزة لازدرائي، لو بكرت قليلاً، لربما كنت الآن في حوزتي يا أسماء، ولكن لا مشكلة.

لقد خطرت لي فكرة ثقلاء الظل الوسيمين، الذين يغازلون موظفات المحلات التجارية، ودواوين العمل الحكومي، ويخرجون بما جاءوا من أجله، كواحدة من أتفه الأفكار وأعلاها شأنًا في نفس الوقت. أكيد أن كل محل للتصوير، يحتفظ بنسخ احتياطية من صور التقطها، وعلى أقل تقدير، يحتفظ بالشريط السلبي، وهذا ما حدث معي كثيرًا، حين أعثر على صوري في استديوهات، جلست فيها للتصوير ذات يوم. لماذا لا يذهب صعلوك وسيم إلى استديو عنتر وإخوانه، ويعود بنسخة الكنز؟ ابتسمت، ولا أعرف، إن كانت ابتسامة ظفر، أم خيبة؟.

- 5 -

أسماء أنا جائع بشدة، أقسم بأني جائع.

هل تسمحين لي بمقاطعة رقة عالمك التي تعيشينها بعيدًا عني، وغزوك بهواجس المحبين، التي ربما لم تسمعين بها من قبل؟

في ذلك السبت، وبتوازن مدهش بين الخواء الذي أحمله في داخلي، وأمل مدهش، نبت على أطرافه، اتجهت إلى كافتيريا (مراحب)، الكائنة عند شاطئ البحر، حيث اعتاد أن يجلس صديقي القديم «محي الدين» الملقب بألماني منذ الصغر، وذلك لعشقه الشديد، لكل ما تنتجه ألمانيا، من عربات ودراجات، وشاحنات، وعارضات أزياء، ونازيين، ولاعبي كرة قدم. وقد كان مديرًا سابقًا لمركز للترجمة، وكاتبًا روائيًا منذ أكثر من عشرة أعوام، ولكن بلا أي رواية منجزة حتى الآن على حد علمي.

أظنك تتساءلين: من ألماني هذا؟ ولماذا يحشر هكذا، بين الزهرة ورحيقها؟ سأحدثك عنه قليلًا، وأنا شديد الثقة، بأنك لن تسقطي في حبه، ليس بسبب قلة حيلته، وانعدام الشبكة التي تلائم قياسك، بين شباكه العديدة، التي دأب على نشرها هنا وهناك، ولكن لأنني حصنتك بعشقي، حولت مشاعري نحوك إلى حاجز سميك، يتصدى بعنف، لأي ميول قد تتقافز تجاهك.

كان ألماني، من ثقلاء الظل الوسيمين، أعرفه منذ الصغر، بالرغم من أنه لم يكن من سكان حي المساكن، أظننا التقينا لأول

مرة، في مباراة كرة قدم، جرت بين فرق الأحياء، أو لعل ذلك في مهرجان طلابي، من تلك المهرجانات التي تقام من حين لآخر، وظللنا نلتقي باستمرار إلى أن سافر إلى عشقه ألمانيا لدراسة الطب، وعاد بعد عدة أعوام، بلا شهادة، لينشئ مركزه للترجمة، ويظهر في صحيفة المدينة المحلية، وبعض الصحف العاصمية، بوصفه كاتبًا روائيًا، أنجز خمسة عشر عملًا هامًا، ويعكف الآن على كتابة ملحمة، بطلتها «تاجوج»، إحدى المعشوقات التاريخيات، في ثقافة شرق البلاد.

كان أغرب ما في الأمر، أن لا أحدَ سأل عن أعماله، أين توجد؟، لا محلل حللها، ولا ناقد تصدى لها بخير أو شر، وتلك العناوين التي يذكرها في كل محفل، كانت على الأرجح، مجرد عناوين خاوية بلا مادة، ولأن أسطورة تاريخية مثل أسطورة تاجوج، كانت لها سمعتها واحترامها خاصة في أوساط عشاق الجمال، وصناع الدراما التلفزيونية، فقد ذكر في مرات عديدة، بأن ملحمته ستحول إلى مسلسل درامي، بإنتاج ضخم، حالما ينتهي من كتابتها.

أنا أيضًا لم أسأل، ولم أطلب نسخة موقعة من أحد أعماله، وتركت الأمر هكذا، ذلك ببساطة، أنني لم أكن قارئًا مواظبًا، لأهتم.

منذ عدة أشهر التقيته مصادفة، أخبرني بأنه أغلق مركزه للترجمة، وتفرغ تمامًا للكتابة، ويجلس الآن في كافتيريا مراحب عند شاطئ البحر، مستلهمًا كتابته من تخبط الموج باليابسة، وألوان السفن الراسية، والسائحات الأوربيات اللائي يتصيدن الشمس، وله مع كل سائحة يصادفها، حكاية، تضيف إلى إبداعه على صعيد الكتابة والجسد.

أظنك فهمت يا أسماء.

فهمت بأنني أريد ذلك الوسيم، الصعلوك، الثقيل الظل، الروائي بلا رواية، أن يخدمني باسم الصداقة، ويأتيني بطيفك.

فكرة ساذجة حقًا، ولكن لا مانع من امتطاء حتى السذاجة لآتي بك.

قد تسألين، لماذا لم ألجأ لفاروق كولمبس، في تلك المهمة؟، وهو جاري وألتقيه أكثر من ألماني، وغيره. وأقول صراحة بأن كولمبس لم يكن مؤهلًا لإغواء حتى جدة في آخر العمر. كان عجوزًا ويابسًا، وبلا جاذبية إطلاقًا، حين يثرثر في مكان آخر، بعيد عن ركن محاضرات الحياة.

وجدت ألماني في مراحب، كما كنت أتوقع، وكان يرتدي الزي الوطني الذي أراه يرتديه لأول مرة، ويحدق عميقًا في البحر، كأنه يحاول أن يستل شيئًا ضائعًا في الأعماق.

كان المكان شبه خاو، ثمة سائحتان تبدوان من شرق أوربا، تتلاعبان بعقود من الخرز المحلي، شاب متفائل، يتبسم بلا معنى، نشال معروف طاف بالمكان على عجل، ومضى، وصاحب الكافتيريا، يطالع شريطًا سينمائيًا قديمًا، من بطولة المصري«محمود المليجي»، على تلفزيون باهت في وسط المكان. وبعد تحية قصيرة، أحسست بها غير متحمسة، ولا تشبه التحليا، من جانب الصديق، اندفعت في سرد الحكاية، حكايتي منذ ليلة الأثر الطلياني المختلفة، إلى خروجي منهزمًا من عند عنتر وإخوانه، لم أنس حتى أغنية الإشراق التي رددها المغني، الطويل الشعر، ورقصتك الخجولة، والمسافة التي قطعتها بصحبة طيفك، عبر غابات المسكيت الموحلة.

لـم يقاطعنـي ألمانـي أبـدًا، ظـل يصغي كما اعتقـدت، وعيناه تحدقـان عميقًـا فـي البحر، وانتبهـت إلى أن لحيته قد طالت بصورة مرعبة، وابيض لونها، ومسبحة من الخرز الأصفر تتقافز بين أصابعه، لـم أكتـرث كثيـرًا، هي غالبًا إحدى حيل الصيد الجديدة، يخطط بها لاصطيـاد سـائحة بلهـاء، مغرمة بتراث الشـعوب، ربمـا صادفها في مراحـب. لكـن حيـن انتهيت، وأنـا لاهـث الأنفاس، أتصبب عرقًا وعشقًا، اكتشفت بأنني دلقت سري عند رجل آخر، غير ألماني الذي أعرفه، لم يرفع عينه حتى ليطالعني بها، وردد بصوت خافت للغاية، لم يكن صوته الذي طالما شد فتيات المدينة، ورقصهن على أنغامه:

- أسـأل اللـه أن يهديـك ويتـوب عليك.. اذهب واسـتغفر.. اذهب يا رجل.

كانـت خيبـة جديـدة بالطبـع، رجـل المهمات ثقيلـة الظل قد اهتدى يا أسماء، اهتدى أو جن، لا أعرف حقيقة، وكنت في أمس الحاجة لخدماته. مثل فتاة عنتر وإخوانه، لم تكن لتسـتغرق تحت لسـانه سـوى لحظات. تلعثمت بشدة وأنا أرى لحيته وقد تجهمت أكثـر، ومسـبحة الخـرز التـي تهتـز بيـن أصابعه وقـد زاد اهتزازها. ونظراتـه التـي يخاطـب بها البحر، تهيجت. الخلاصة أنه لم يطلب لـي شـايًا، أو قهـوة، كمـا اعتـاد أن يفعل في السـابق، حين أفاجئه جالسًـا، وورق أبيض بـلا كتابـة يتناثـر على طاولته، وكنسـني كما يكنس قذارة على أرض قذرة.

هـل رأيـت جنـون العشـاق وتفاهتهـم، وتحولهـم بيـن ليلـة وضحاها، من شجر صلد الجذور إلى صفق يابس، تتقاذفه الريح؟.

لم أصدق أنني بهذه السذاجة، وأنني نفسي الذي أنتجت جيلًا مـن المتعلميـن، تناثر فـي الجامعات محليًـا وخارجًا، وكنت حتى

نهار الخميس الماضي، منكبًا على رسالتي التي كنت أعتبرها الأهم والأكثر قداسة، ليأتي ليل نفس اليوم، ويهزني كل تلك الهزات.

لكن لا بأس مع كل ذلك، إهانات ألماني سأبتلعها، كما ابتلعت إهانات المراهقة الهزيلة، أخت عبد القادر، وسأخترع حيلًا أخرى. للعاشقين حيل يخترعونها كما سمعت، وما دمت عاشقًا، فسأخترع حيلي.

وأنا ذاهب إلى بيتي في عربة للأجرة، مشتت الذهن، كما هو متوقع، سمعت السائق يحدثني عن أحقيته برئاسة نقابة سائقي عربات الأجرة، ولم يرشحه زملاؤه لذلك المنصب، بسبب الحسد. التفت ناحيته، وأنا على يقين بأنني سأشاهد سائق الليل الذي أقلني من الأثر الطلياني، وألقاني في غابة الجن ومضى، وكنت مخطئًا، لقد كان رجلًا آخر، أكثر بدانة، وأغزر شعر الرأس، واستغربت، ما هي تلك الرئاسة التي يود الجميع تقلدها ويشكون من عدم ترشيحهم لها بسبب الحسد؟.

أنا أيضًا أود أن أتقلد منصبًا ما، منصبًا أهم من كوني معلمًا في مدرسة متوسطة، أو حتى مديرًا للمدرسة، أو رئيس الإدارة التعليمية في المدينة كلها، إنه منصب لا أريد أن يشاركني فيه أحد: منصب عاشق أسماء، لقد رشحت نفسي وبلا حسد، وزكيتها، وأنتظر العثور على باب الدخول لأدخل، متأجج الشعور.

لن ألوم ألماني على توبته المفاجئة، فقد اختارها، على الرغم من أنها جاءت في توقيت قد يكون مناسبًا له شخصيًا، ولا حيلة له، إن لم يكن مناسبًا لي على الإطلاق، على الأقل، انتهت موجة الكتابة الكذابة، ولن نسمع بعد ذلك عن ملحمة تكتب، أو روايات أنجزت، وترجمت إلى كل لغات العالم.

لـن ألـوم الهزيلـة أخت عبد القادر أيضًا على وقاحتها، لأنها مقصوصة الجناحين مثلي، وأجزم أنها أحبت وانجرحت عشـرات المرات، وعادت لتعيش الحياة هكذا جافة، وتعسة.

أوقفتنـي العربـة أمـام بيتـي مباشـرة، هـذه المـرة، وما زالت الحلقـة التـي صنعتهـا بنفسـي ضيقة، صارعتها طـوال الطريق، ولـم أخترع مخرجًا بعد. كانت امرأة كولمبس واقفة عند بيتها، ولاحظت لأول مـرة، أنهـا حامـل، كان جنينها في مسـتوى القفص الصدري، وأحسسـت بها تلهث من دون أي مجهود. لم أكن أعرف اسـمها حقيقة، وكان ذلك من إحدى غرائبي، أنني لا أعرف اسـم جارتي اللصيقة، وقد كانت من مدينة أخرى، تزوجها فاروق منذ أقل من عام، وجاء بها إلى حي المساكن منذ شهرين فقط. كانت في نحو الثلاثين، وفاروق قد تجاوز الخامسة والخمسين.

وبصـوت رقيـق للغايـة، أعـرف بأنـه ليس صوتهـا الحقيقي، سألتني لأول مرة:

- من يطبخ لك غداءك يا أستاذ؟

هممـت باضطهـاد سـؤالها، وتجاوزهـا، والدخـول إلى بيتي، لأخترع مخرجي، وبدا لي ذلك، لا يليق بعاشق، تسأله امرأة. قلت:

- أطبخ لنفسي.

- حرام... لماذا لم تتزوج حتى الآن؟

سؤال في غاية الوجاهة، يا جارتي التي لا أعرف اسمها، حتى الآن، ولم أسأل عنه من قبل، ولا كان يرد في صوت زوجها حين يشد الضفيرة، أو يلاعبها الورق عنوة، ويهزمها بجبروت الرجال، أو يملأ مساحة متمكنة في ليل حي المساكن. سأسميها مؤقتا: عفراء،

ولا أعرف لماذا عفراء، لكنها بدت لي تشبه الاسم بجنون، والاسم يشبهها بجنون أيضًا، لو سألتني في نهار الخميس الماضي، لنكست وجهي باتجاه الأرض، ومضيت، بناء على علاقتي السابقة بالمرأة، وأنها ضائعة مني إلى الأبد، لكن سؤالها جاء في توقيت العشق، غير المخطط له، والذي لا أعرف حتى تلك اللحظة، متى ينتهي، وكيف؟. أظنها كانت تحت ضغط العرفان بالجميل، حين انتشلت الزوج العربيد من تحت جثة حداد هائج، وتريد أن تكافئني بطبخة من صنعها. همست في داخلي:

شكرًا يا عفراء، أنا أطبخ لنفسي كما أخبرتك، وحتى هذه لم أعد أهتم بها كثيرًا، اتركيني لأدخل.

قلت وأنا أضع المفتاح على قفل الباب، وأديره:

- سأتزوج قريبًا.. أنا خاطب.

من حقي أن أكذب عليها يا أسماء، أن أجعلك مخطوبة لي وأنا لا أعرفك جيدًا ولا تعرفيني بأي صورة من الصور، وقد نحت ذهني مرارًا لأستعيدك، وأتفحص يديك إن كانتا خاليتين من حناء المتزوجات، أم مسودتين بها، ولم أفلح، كان وجهك يأتي، لكن التفاصيل الأخرى لا تجيء أبدًا.

الذي توقعته حدث بالفعل، في ذلك اليوم، ففي الثانية ظهرًا، موعد عودة الموظفين من أعمالهم، والذي هو موعد عودتي أيضًا في أيامي العادية، جاء فاروق كولمبس، يطرق بابي. كان سعيدًا، بشدة، يمضغ علكة بين أسنانه، وبين يديه طبق من الألمونيوم، مغطى بالقصدير. قدمه لي قائلًا بأنه وجبة فاصوليا بالدجاج، من صنع زوجته، وسآكل أصابعي وأسناني وراءه، وأضاف بشيء من

المجـون، أنـه ذهـب اليوم لزيـارة ألبيرت راجي في ورشـته، برفقة اثنيـن مـن معارفـه ومعارف الحداد في نفـس الوقت، اعتذر له عن أقاويـل ربمـا سـمعها من البعـض، ولـم تصدر منـه، وكلفه بصناعة أسـرة جديدة، وخزانة للثياب، لمناسـبة قرب وضوع زوجته، وقبل أن ينصـرف، حدثنـي عن تقليصه لجلسـاء ركن محاضرات الحياة، وإنه طرد منه كل من شك في أنه، لن يتعلم الحياة كما ينبغي، أو ينقل محاضرات الركن إلى من يهمهم أمرها.

لم أسأله عن ذلك الأمر الذي كان يهم الحداد ألبيرت، وجاء به مشروع قاتل، صباح تلك الجمعة، فقد كنت أعرفه بالتخمين كما ذكرت، وقلت له:

-شكرا يا كولمبس، اشكر زوجتك عفراء نيابة عني.

التفت إلي، ردد:

- عفراء تحترمك جدًا، تعتبرك مثل أخيها.

يا للغرابة يا أسـماء، لقد اكتشـفت الحاسـة المتمكنة التي لم أكن قد انتبهت إلى وجودها عندي، وسميت امرأة لا أعرف اسمها باسمها الحقيقي، والآن تحت ضغط الفرحة، سأجلس ما تبقى من اليـوم لأخمنـك، وأتأكد بعـد ذلك، إن كنت قد خمنتك حقيقة، أم لا؟، وأيضًـا تحـت ضغـط الفرحـة، وبعـد أن وضعـت الطبـق في الداخل، عدت لأطرق باب فاروق، وأسأله مباشرة:

- هل كان الأمر يتعلق بمريا أخته؟

- نعم.

قال، وأغلق الباب.

- 6 -

لـم أكـن أدري مـا السـبب الـذي جـاء بمحي الديـن ألماني، الروائـي بـلا روايـة، وصاحب مركـز الترجمة المغلـق، والمتطرف الدينـي حاليًـا، إلـى بيتي في حي المسـاكن، عصر ذلك اليوم، ولم يعتد زيارتي أبدًا، وكانت آخر مرة التقيته فيها، منذ أسبوعين، حين ذهبت أبله، وساذجًا، وملطخًا بسمعته القديمة، لاستغلال وسامته وثقـل ظلـه في اسـتخلاص صورك من فتاة اسـتديو عنتر وإخوانه، وفوجئت به آخر، غير الذي أعرفه، وانهزمت.

كانت قد مضت سـبعة عشـر يومًا، منذ علقت فيك يا أسـماء، سـبعة عشـر لوحًـا مـن الجمر المتقـن، تقلبت فيها بلا هـوادة. مر عيـد العلـم السـنوي، وانتظم التلاميذ في بهرجـة الأنفس والأزياء، والميادين، وترديـد الأناشـيد الكاذبـة فـي حب الوطن والدراسـة، ولم أستطع أن أكتب رسالتي السنوية، في مدح مادة الكيمياء التي تعـودت علـى كتابتهـا، وبنفس حبري الأخضر الذي أكتب به الآن، ليقرأهـا أحـد التلاميـذ في احتفال المدرسـة، وكتب شـمس العلا، الـذي مـا زال مشـتتًا فـي مسـألة تغيير اسـمه، كلامًـا متعجلًا، لم يكن في مسـتوى عبقريته المعروفة. أيضًا حصل مدير المدرسـة الذي كان في التاسعة والخمسين، وإحدى أدوات السلطة المهيمنة علـى التعليـم، فـي المدينـة، علـى زيادة مفاجئة فـي وزن وظيفته، حين عين فجأة، وكيلًا لوزارة التعليم، وسـافر إلى العاصمة لتسـلم

الوظيفة، وكادوا يفسدون عذابي في عشقك، حين كلفوني بتسيير شؤون المدرسة، لحين حضور مدير جديد، لكنني أبيت بشدة، وكلي استغراب من ذلك الاختيار الذي لم أكن أتوقعه أو أستحقه.

كان فاروق كولمبس، جاري، قد اقترب مني في تلك الأيام، بدرجة مثيرة للريبة، وكنت جاره منذ ولدت، ولم يهتم بي أبدًا من قبل، وأزعم أنني لم أشاهده حتى، وسط تلك الجموع التي تقاطرت لتواسيني، وتبكي معي الفقد، حين ضاع بخاري فجأة، وحين خرجت من الدهاليز المظلمة بعمر جديد وعدت إلى جيرته. وتأكد لي أن تلك العفراء، زوجته القادمة من مدينة أخرى، والتي أخفقت كما يبدو لي، في تعديله، إلى زوج حتى الآن، هي التي تقود حملة إزعاجي بهذه الصورة الغريبة.

أكثر ما أرهقني، في التصاق كولمبس وامرأته بي، هو أنني لم أعد أجد وقتًا لمحاولة تخمينك، وكلما جلست مطأطأ النوم، وواسع الأرق، لأحياك كما أريد، وأحيك دسائس الحب وتوعكاته، وخسائره وانتصاراته، أفاجأ بجاري، شرهين وواسعي الابتسامات، يتسليان بعورات بيتي، المرأة تفتح خزانتي بلا مناسبة، وتغلقها، ترتب سريري بحسب ذوقها، تغسل أطباقًا للطعام، ربما تركتها متسخة، تنحني لتكنس غرفتي وصالتي الضيقة، تطبخ لي ما تعتقد أنني أفضله، ولا أتذوق منه الكثير حقيقة، وأنتبه إلى لهاثها المجنون، وأترجاها أن تكف ولا تكف، والزوج، منكفئًا على وسادتي، تلك التي طرزتها بدموعي وريالة العشق التي أسلتها، أيامًا طويلة، يلف مخدره من البانجو، في ورق شفاف، ويدخن، لدرجة أن مرور بعوضة عادية بالقرب من أنفه، أو منظر ذبابة عالقة في خيط عنكبوت على الحائط، يضحكه حد الدمع، وأصوات الطريق

العابرة، من صراخ وسباب، ومناجاة، تضرجه بتفاعل غريب، يقفز على أثره من اتكاءته، يركض، وينضم لمشعلي أصوات الطريق. وحين يجلس في ركن محاضرات الحياة، في أول المساء، ويملأ المساحة المتمكنة من الليل، بصوته الرنان الدائخ من أثر المخدر، أتنفس بعمق، أتمنى لو كان اليوم كله محاضرات خيالية تافهة، حتى أقضيه أنا في خيالاتي الوارفة النظيفة.

ضجرت يا أسماء، ضجرت من سرقتهما لك من خيالي، من وقوفهما الطويل على بوابة الدم، ليطردانك، وأخبرت كولمبس في أكثر من مرة، بأنني نادم أشد الندم، لأنني لم أترك ألبيرت الحداد، يخرج أنفاسه من رئته الضالة.

كان يضحك بمجون، وعفراء تضحك بلهاث مضطرب، ويدها على مستوى القفص الصدري، حيث تمدد جنينها المنتظر، وتقفز إلى ذهني صورتك في ذلك الخميس، أتساءل: هل كانت عفراء زهرة أيضًا، وجففها الحمل؟.

لا أعتقد، فالزهرة الأصيلة، تبدو زهرة، حتى وهي دائخة بين أيدي القتلة.

أظنك ستسألين الآن:

ماذا حدث لصورتك المستحيلة؟ وهل ثمة مغامرة أخرى جرت لاصطيادها، في تلك الأيام التي أعقبت إخفاقي بسبب الفتاة الوقحة، و انحياز ألماني لاتجاه آخر؟

الإجابة:

نعم، وما كان قلبي في الحقيقة، ليسامحني، أو يمنحني ذرة من أكسجين، أتنفس بها، لو أغفلت ذلك الأمر.

قبل يومين فقط، عاد عبد القادر من شهر العسل، أيام قليلة، أنفقها في العاصمة، برفقة عروسه التي لم تكن من أقاربنا، وكانت زميلة له في العمل، انتقاها كما يبدو بحسابات دقيقة، لم يكن الجمال من بينها. ربما أكلا في مطعم نظيف، ربما تسوقا في سوق الإفرنج العامر بالبضائع، وربما كحلا عيونهما المعتادة على هدير البحر، بمشاهدة النيل، أسطوريًا وماردًا، وموحيًا بخيالات عديدة كما أعتقد. لم أكن من مجربي شهور العسل كما تعرفين، واعتمد في وصفي لشهر عسل قريبي على حاسة التخمين التي أوقن الآن، وستعرفين بنفسك لاحقًا، بأنها أصبحت حاستي الرئيسية، حاستي التي تتفوق على السمع والبصر واللمس والتذوق. صدقيني لو قلت لك، إنني لو كنت مدرسًا لمادة الأحياء، وتشريح جسم الإنسان، لدرستها للتلاميذ ودربتهم على اكتشافها.

عرفت برجوع عبد القادر مصادفة، بعد أن شاهدت أخته المراهقة الوقحة، في موقف الباصات الرئيسي، حين كنت أنتظر باصًا ذاهبًا لحي المساكن. حاولت أن أتفاداها، ولم أستطع،، ولم تتركني إلا بعد أن ازدرتني بعينيها، وأخبرتني من دون أن أسألها، بأن عبد القادر قد عاد من شهر العسل، واستلم الصور كلها. أقسم لك يا أسماء أنها كانت ستسألني، إن كنت سأدخل تلك الصور مقرر الكيمياء، أو أوزعها صدقة للفقراء في حي المساكن، لولا أن حافلة مسرعة، دخلت الموقف فجأة، وأثارت غبارًا، وانشغلت هي بتنفيض ثيابها والتأكد إن كان غطاء رأسها ما زال موجودًا، أم سقط.

كان من حسن حظي، كما قدرت في ذلك اليوم، أن عبد القادر، قد ترك بيت أهله في طرف المدينة البعيد، قبل أن يتزوج،

استأجر شقة صغيرة في وسط المدينة، أسسها بضرورات الحياة، وجرجرني لمشاهدتها في أحد الأيام، من ضمن فوج كبير من الأهل والأصدقاء. لن أستطيع أن أصف لك سعادتي بلقاء أخت عبد القادر يا أسماء، ليس لأنني أستسيغها بالطبع، ولكن لأنها منحتني خريطة الكنز، وأشعلتني حماسًا.

أسرعت بالابتعاد عن الموقف، قبل أن تنتبه وتجدني مرة أخرى، ولم أذهب إلى بيتي في تلك الظهيرة، أمضيتها في أكثر من سبعة أماكن في وسط المدينة، أحاول أن أنحر الوقت حتى يأتي المساء وأذهب متتبعًا خريطة الكنز، دخلت مكتبة «أهل البلد»، التي أنشأها « نور الدين العطا»، مدير مدرستنا الأسبق، بعد تقاعده، واشتريت كتابًا خاصًا بعلوم ما وراء الطبيعة، ظننت أنه قد يساعدني في تطوير حاسة التخمين، إن بدأت بتخمينك، وأيضًا كتابًا عن التنجيم، والأبراج، ولم تكن لدي فكرة، لماذا اشتريته.

دخلت كافتيريا سلامة، إحدى أسوأ الكافتيريات في المدينة، وعثرت على ذبابة ميتة في كوب الشاي الذي طلبته، وعفوت عن النادل بطيب خاطر، لأن الخطأ قد حدث في وقت انتظارك، الوقت الذي اعتبرته ملكًا خاصًا لك، وأعرف أنك، بسماحة الوجه التي أعرفها، والرقة التي أوقن بوجودها، كنت ستعفين عنه أيضًا. مررت بأسواق بيع الخضار، واللحم، وبيع الدجاج، وثرثرت كثيرًا مع بائعة للقصب، تسكن حي المساكن وأعرفها، من صداقتها لأمي الراحلة، لا لسبب سوى أن اسمها كان أسماء، وحقيقة لم تكن تقاسمك سوى الاسم فقط، وكنت طوال جلوسي بجانبها، أفكر في اقتيادها يومًا بالقوة، إلى سجل المواليد، لأنتزع منها اسمك، وألبسها اسمًا شبيهًا بها، بوصفها عجوزًا خرقاء، تجاوزت الستين

منذ زمن. لا تصفيني بالجنون أرجوك، فلم أكن مجنونًا في يوم من الأيام.

حوالي الخامسة مساء، كنت أحمل كتابي اللذين اشتريتهما من مكتبة أهل البلد، وسلة من البلاستيك فيها مزهرية من الفخار المحروق، تحتوي زهورًا حية، اشتريتها من مشتل بلا اسم صادفني في الطريق، وأطرق باب شقة عبد القادر.

كانت البناية ما زالت جديدة، ومعظم سكانها من المتزوجين الجدد. ثمة بقايا لإسمنت وحديد، لم تكنس بعد، والدرج الذي صعدت به إلى الطابق الرابع، حيث الشقة، ما زالت درجاته محفورة، وعاملان صبيان، مغبران، يرممانها بلا حماس.

لم يكن وقتًا مناسبًا لزيارة عروسين عائدين من رحلة اكتشافهما لبعضهما البعض، ويسعيان لإكمالها في بيتهما، بكل تأكيد. في الواقع لم يكن مناسبًا حتى لزيارة مقبرة، وقراءة الفاتحة، أو طرق باب أرملة مسنة وتعزيتها في فقد، لكن ماذا أفعل؟، اللتان تقودانني في الطرق، تزفانني إلى مواقف الحرج، لم تكونا قدمي، والعقل الذي يفكر، كان عقلًا آخر، نبت في رأسي في ذلك المساء، وعلى تربة، لم تكن مهيئة له، ولكنه نبت.

فتح قريبي الباب بعد عدة طرقات، ابتدأت ناعمة، ثم اخشوشنت بعد ذلك. كان يرتدي ثوبًا بيتيًا قصيرًا، على يديه حناء العرس، سوداء قوية، ما تزال، وتسطع من جلده النظيف، اللامع، رائحة البخور، والعطور الشبقية، التي تصنع خصيصًا للزواج. أظنه فوجئ بوقوفي على بابه، في وقت لا يقف فيه أحد على باب أحد، لأن يده كانت مضطربة بشده، وهي تمسك بيدي في التحية، وشفتيه عضتا على بعضهما البعض، كأنهما تمسكان ببقايا

قبلة، تمنعناه من الفرار، ومن فراغ طفيف بين جسده، والباب شبه الموارب، لمحت ما يمكن أن تكون نظرة تساؤل عميق، في عيني امرأته الواقفة خلفه مباشرة.

كان واحدًا من المواقف غير السارة، والذي ما كان سيحدث، لولا ذلك الخميس المختلف، ولأني تدربت على مواجهة الحرج كما يبدو، بعد عدة صفعات متتالية، فلم أحس بأي اضطراب، على العكس كنت متمكنًا في مصافحتي، وإعادة تهنئتي بالزواج الميمون، وقدمت مزهريتي الهدية، وأنا واقف بالباب لأن قريبي لم يبد راغبًا في إدخالي، واحترمت رغبته، وبصوت جعلته رزينًا وصافيًا إلى أقصى حد، سألت عن صور العرس التي فيها صور تهمني.

لم يسألني عبد القادر عن تلك الصور التي تهمني، حقيقة، أشار إلي أن أنتظر لحظة، وانزلق إلى الداخل، وعاد بعد لحظات قليلة، حاملًا ألبومًا ضخمًا، كتب عليه بخط ذهبي متعرج:

استديو عنتر وإخوانه، مع خالص التمنيات للعروسين.

أخبرني بأنه يحتوي على جميع الصور التي التقطت في ذلك اليوم، وعلي أن أنتقي التي تهمني الآن وأعيده له، وأنه سيدعوني بنفسه لزيارته، ويكرمني، حين يكون مستعدًا في يوم آخر.

كان مضطربًا بالفعل، ولا أحس بأي وخز داخلي بأنني أفسدت قيلولة مثمرة، لعروسين في شهر العسل، كنت مهتمًا بقيلوتي الخاصة، برحيقي الذي أخطو لامتلاك قنانيه كلها، بما يمكن أن يكون خطوة ذات مغزى في قصتي التي كتبها القدر لي، في ليلة مختلفة.

أمسكت بألبوم الصور وفتحته، وبدأ الثبات يتزحزح: هذه للعروسين جالسين على مقعدي المخمل، هذه للعروسين مرة أخرى وثالثة ورابعة وعاشرة، هذه لنساء يزغردن بحلوق منتفخة، لرجال يرقصون بلا تناغم، للمغنين، لأعضاء الفرقة الصعاليك، لحاملي أكواب العصير كلهم، لفتيات جميلات، لفتيات يسعين ليكن جميلات، بلا مقومات جمال واضحة، لطفل متسخ الفم، يمص حلوى، لي أنا برفقة تلميذي الشقي الذي ساهم في ضياعك مني، حين فاجأني وأعادني معلمًا للكيمياء، لي وأنا مرتبك أمد يدي، أبارك على المسرح، لكثيرين بلا عدد، حضروا وصافحوا ومضوا، لأطباق الكوكتيل على الموائد، للعربات المتوقفة خارج المكان، ثم تأتي الصفحة الأخيرة، الصفحة التي ترددت كثيرًا في فتحها، ولا أجد ثوبًا أسود مطرزًا بمشاريع أزهار لم تنبت، أو نجوم لم تضئ، ولا ألمح وجهًا طالما أنهكتني محاولات استعادته.آخ..

أحسست بما يشبه الانهيار:

- هل هي كل الصور التي التقطت؟، هل أنت متأكد؟

أسأله، وأسمع صوتي مشقوقًا، أو مكسورًا من وسطه، أو مقضومًا بأسنان حادة.

- أنت متأكد يا عبد القادر؟

ويجيبني، ولا أكاد أسمعه:

- نعم هي كل الصور التي التقطت، وقد تأكدت من الشريط السلبي بنفسي، لكن صورك موجودة يا أستاذ، خذها إن أردت.

أضاف وقد بلغ به الملل حده، كما بدا من الصوت:

- هل كنت تتوقع صورًا أخرى غيرها؟

- لا

قلتها، وبنفس الصوت المشقوق، المقضوم، المكسور من وسطه، لا.. وكنت كاذبًا بالطبع، ولو جمد قريبي اضطرابه الشخصي، واستعجاله لأن أغادر، لحظة واحدة فقط، وتأملني، لفهم بأنني أكذب، وأكذب بضراوة.

انتزعت صورتي الموجودتين بيد واهنة، اعدت الألبوم لصاحبه، وهبطت الدرج، وتعثرت في أحد العاملين في ترميم الدرج، وكان قد تمدد في قيلولة بائسة وغفا، وحين وصلت الطريق، مزقت الصورتين، مزقتهما بحقد، وألقيتهما على الأرض.

هل كانت مصادفة، أن لا يصورك المصور، أم هي أوامر واضحة منك بعدم التصوير؟.

لكن لماذا؟ ونساء الأعراس الجميلات، المتزينات، في العادة، يوددن لو بقيت آلات التصوير عالقة بوجوههن، وثيابهن حتى نهاية الحفل؟

لم تكن لدي إجابة، ولن تكون أبدًا، ولكن وبرغم ذلك لن أستسلم.

فاجأتني زيارة ألماني بلا شك، لم يكن وحده، كان برفقة ثلاثة آخرين، على نفس المستوى من اللحية، والثوب القصير، ومسابح الخرز التي تتقافز بين الأصابع، عرفت منهم الأزهري، وكان فيما مضى طباخًا لدى عائلة من بقايا الأتراك، تسكن في وسط المدينة، وأدين بطعن ربة البيت بسكين، لأنها اعتادت على انتقاد أدائه في المطبخ باستمرار، وقضى خمس سنوات في السجن، والآخران كانا غريبين، لم أرهما من قبل.

لـم أدعهـم للدخـول، وقد تخلصت للتو من فاروق وعفراء، وأردت أن أبنـي عالمـي معـك، ولا كانـوا أنفسـهم يرغبـون فـي الدخـول، هـي دعـوة واضحـة وجههـا لـي ألماني بـأن أحضر إلى مسـجد الحـي، لمشـاركتهم الخـروج في سـبيل الله، الـذي بدأوه لمسجدنا صباح اليوم.

قلت بلا تردد:

- لدي دروس أقوم بتحضيرها لطلابي يا أخي.

ورد بسرعة كأن الرد موجود أصلًا في لسانه، منذ زمن بعيد:

- تعـال وحضـر لدروس الآخـرة يا أخي الدنيا لا نفع فيها.. لا نفع فيها صدقني. ستجدنا بانتظارك إن شاء الله.

أضاف:

- السلام عليكم ورحمة الله وبركاته.

ثـم مضـى مـع جماعته، وأراهم يطرقـون الآن باب كولمبس، وأتوقع أن يحصل عراك ما.

لم أشاركهم خروجهم بالطبع، كنت في حالة بؤس لا تسمح لـي حتـى بمـد يـدي لأحـك ظهـري، هم اختـاروا سـكة، وأنا في سكة أخرى، وربما نلتقي ذات يوم، لكنه ليس اليوم بأي حال من الأحوال.

- 7 -

قبل أن أبدأ بتشغيل حاستي الجديدة، حاسة التخمين التي اكتشفتها بجدارة، وطورتها بسرعة، أسخرها في شأن حبك، حتى تكونين حقيقتي الواقعة، حقيقتي التي لن يكون ثمة جدال فيها، ابتدأت في عمل تجارب كثيرة، كان معظمها ناجحًا بشكل لا يصدق، ولدرجة أن ما تلا ذلك من أيام وأشهر، وأنا أرصفك، لم أحس أبدًا بأنني أرصف معالم من صنعي، ولكنها من صنعي وصنعك أنت، وصنع القدر الذي ربط بيننا بخيوط أنا أمسكها حد الجنون، ولكنك للأسف لا تمسكينها.

في اليوم الذي اقتحمت فيه عسل قريبي عبد القادر، وأجبرته على ضم بقايا قبلات العسل بين شفتيه، حتى لا تطير، وتصفحت إلبوم الصور التي التقطت في العرس، واكتشفت خلوه من أي صورة لك، ومزقت صورتي اللتين عثرت عليهما، بحقد وألقيتهما في الطريق، لم أذهب إلى بيتي مباشرة، لأنفض قلبي من ذلك الحب الطارئ، وأستريح. درت في وسط المدينة ساعتين تقريبًا، بلا هدف محدد، داخلي يغلي بشدة، وخارجي يرتعش وأحس ارتعاشه، وعدت حوالي الثامنة، أطرق باب عبد القادر مرة أخرى. وأنتظر زهاء ربع الساعة حتى فتح.

هذه المرة لم يكن مضطربًا كالسابق، ولكنه مذهول حقيقة، قميصه مفتوح الأذرة، وسرواله أبيض شفاف، ممتلئ بالبقع، وعلى

الزاوية اليمنى من فمه، ثمة أحمر كثيف، لعله ملحقات قبلة بقيت لاصقة، أو عضة أسنان أتت بالدم، لم أحاول التخمين.

كنت أتوقع أن يمارس حق العريس المنزعج، المقهور، وينهرني، يمسكني من يدي أو ثيابي، ويهبط بي درج البناية، وهناك يبصق على وجهي، ويعود إلى بيته، لكنه لم يفعل، الشيء الذي فعله، هو أن صرخ في وجهي، وأيضًا كانت صرخة طرية، لم أحس أنها خدشتني، أو أحدثت جرحًا ما:

- خير يا أستاذ، ماذا تريد مرة أخرى؟
- أسماء.

قلت ببساطة شديدة، وانتبهت في نفس اللحظة، إلى أنني ألقيت باسمك مجردًا من كل قصة، لها بداية معروفة، وتجري المساعي حثيثًا لإيجاد نهاية لها، كأنني افترضت بأن عبد القادر يحملك مثلي، والدنيا كلها تعرفك، وتتساقط في عشقك. أسرعت بإضافة ملحقات لاسمك، قبل أن تقوى صرخة قريبي، وتركلني هذه المرة:

- فتاة كانت موجودة يوم عرسك في النادي الطلياني.
- وماذا في ذلك؟
- أردت أن أعرف، إن كانت من أقاربنا، أو أقارب زوجتك؟

أقول الحق، إن عبد القادر، لم يسألني مطلقًا عن هويتك، ولا بدا أنه سيسألني في أي لحظة، ولا نبأت شفتاه المضمومتان، عن بذور سباب مثل: يا ابن الكلب، ستنبت فيهما، ولم أشرك حاسة التخمين في معرفة شعوره تلك اللحظة، لأنني خفت أن أشركها.

قال بكل هدوء، ليس فيه حتى رائحة غيظ مكتوم:

- بالنسبة لأقاربنا، أنت تعرفهم، جميعاً، ولا توجد واحدة اسمها أسماء بينهم، وجاراتنا في الحي أيضًا، ليس من بينهن أسماء، وبالنسبة لأهل سلمى ومعارفها، ليس لدي فكرة، لكني سأسألها حالًا.

انزلق بخفة إلى الداخل، تاركًا باب بيته مشرعًا، وألمح خيال الزوجة، بملابس شفافة أيضًا، يسرع بالاختباء في إحدى الغرف. هذا من المواقف التي بحاجة للتخمين، أعني شعورها، ولكني لن أستهلك الحاسة الثمينة التي أملكها في مجرد توافه. بعد دقيقتين عاد عبد القادر، ليخبرني بصوت متعجل، إن زوجته لم تعثر أيضًا على أسماء بين معارفها وأهلها، وتتوقع أن تكون امرأة لا تمت للعرس بصلة، وتمت دعوتها بواسطة شخص من المعارف.

أظنني كنت سخيفًا يا أسماء، سخيفًا جدًا، وأنا أتتبع طيفك، أظنني كنت مرًا وصعب الهضم، وأنا أتجول بين العسل والغارقين فيه، لاحسًا ما لا يجب أن ألحسه، أظنني أسوأ عاشق مر على حكايات العشق، منذ أن اخترعتها القلوب، وصيرتها دساتير حاكمة، ذلك ببساطة أنني لست عاشقًا من طرف واحد فقط، بل أكثر من ذلك، عاشق من طرف ممزق، لطرف غير مرئي، برغم حقيقة وجوده.

هبطت الدرج في تثاقل وأسمع أصواتًا حادة، تتردد ورائي، في بيت عبد القادر، العروس تعاتب عريسها على ذنب لم يقترفه، هذا أكيد، والعريس يذكرها بأنني من أهله. هذا أكيد أيضًا. لقد سمعت كثيرًا عن تلك النزاعات التي تحدث للمتزوجين، في بداية حياتهم الزوجية، ودائمًا ما تكون لأهل العروسين بصمات فيها، أو يكونون هم أعواد الثقاب التي تشعلها، وقد كنت للأسف، عود

ثقاب مجروحًا، أشعل نارًا وذهب.

على الدرج كان عاملا الترميم نائمين بعمق، ووطأت بطن أحدهما، ليستيقظ مذعورًا، ولم أعتذر ومضيت.

أعود إلى حاسة التخمين، حاستي التي فرحت بها كثيرًا يا أسماء، وما علي سوى تجربتها، لأتأكد من مدى صلاحيتها، وقد فعلت.

بدأت بقصة زميلي شمس العلا، عبقري الكيمياء المتورط في حب فتاة من عائلة راقية، كان أبواها ناشطين شيوعيين، في ما مضى، وأثريا بعد ذلك، حين هاجرت الأم إلى إحدى دول الخليج العربي، افتتحت صالونًا لتزيين النساء، وعادت بعد خمسة أعوام بثروة، دحرت بها نظريات ماركس، بجدارة، ونشأت فتاة شمس العلا، في بيئة مختلفة، لا تمت للهوس الماركسي القديم بصلة. كان قد تقدم لخطبتها بالفعل، وقبلت خطبته مبدئيًا، طالبته هي بتغيير اسمه البلدي السمج في نظرها، إلى اسم حضاري، وطالبه أهلها بتدبير مهر غال حتى ينالها.

قرأت في ذهني أحوال شمس العلا، وأنه من أسرة تنتمي لإحدى القرى التي اشتهرت بالتصوف، في منطقة الجزيرة، وتوصلت إلى نتيجتين:

شمس العلا سيغير اسمه، إلى اسم حضاري، ضاربًا بقبيلته ومتصوفتها عرض الحائط.

شمس العلا لن يستطيع تدبير، مهر الفتاة المترفة، بما يتبقى له من راتب المعلم، المتخاذل حتى في تدبير الأكل والشرب، وسيرتكب جريمة ليفعل.

بعد يومين، وكنا في استراحة بين الحصص، أنا سارح بأفكاري فيك، وهو منحن على حذائه، يلمعه للمرة العاشـرة، منذ الصباح، سمعته يصرخ:

- تعال معي، ولنأخذ زميلًا آخر.

- إلى أين؟

سألت وقد طارت ظلالك من رأسي، مفسحة مكانها لصدى صرخته.

- إلى المحكمة الشرعية، سأغير اسمي إلى عاصم.

عاصم؟

تأملته بفرحة، أردت أن أفرحها، لأن الحاسة الجديدة، تعمل بكفاءة، وشـعرت في نفس الوقت بالأسـى، أنه قد يرتكب جريمة سرقة ذات يوم، لم يكن باستطاعتي مصارحته بما تقوله الحاسة التـي قـد تصـدق وقد تكذب، وتمنيت حقيقة أن تتعطل على الأقل في شأن ما قد يرتكبه، نهضت صاغرًا أمام صرخات متعاقبة، تلح منـه، اصطحبنـا زميـلًا آخـر، كان موجودًا معنا، من أجل الشـهادة، وبعد ساعتين فقط، أصبح شمس العلا، هو عاصم، على الأقل في بيت خطيبته، وعندها هي وعند أطفالها المستقبليين، إذا مااقترنت به وأنجبت أطفالًا، لأن لا أحدَ في المدرسة أحب الاسم الجديد وناداه به بعد ذلك. حتى تلاميذه، الجادون وغير الجادين، تفاعلوا بترف ساخر، حين كتب الاسم الجديد، أمامهم على تخت الدراسة.

قصـة مريـا البيضـاء، أخت ألبيرت الحـداد، كانت ملعبًا آخر، ركضت فيه بحوافر حاسـتي، وبلغت النهاية. في الماضي وقبل أن أعرفـك، لـم تكـن الفتاة الطرية، كما يقول مواطنو حي المسـاكن،

قد لفتت انتباهي كثيرًا، وحين أصادفها في الطريق، وكنت أصادفها كثيـرًا، ألتـوي بعنقـي بعيدًا عنها، ليس خوفًا من غوايتها، فقد كنت مشـروعًا لئيمًـا فـي تذوقي للمرأة، كما تعرفيـن، وغير قابل للغواية على الإطلاق. الآن بدأت أهتم بمريا البيضاء يا أسـماء، أردت أن أجرب التخمين المطور، في حقها، وأرى النتيجة.

انتظرتها في أحد الأيام، قريبًا من روضة للأطفال، مقامة في حي أفضل حالًا، من حي المساكن، لكنه يجاوره، يملكها القبطي «قدسي قرياقوس»، أحد سكان حي المساكن الجدد مثلها، وتعمل فيها مشـرفة، بالرغم من أنها لا تشـبه الإشراف، المعروف بقسوته، في شيء أبدًا، وكان قدسي قد اشترى بيتًا من أحد الوارثين أيضًا، وأقام فيه برفقة عياله الثلاثة، بعد أن رحلت زوجته فجأة في حادث طريق.

شـاهدت وجـه مريـا بتمعـن لأول مـرة، وكان وجـه فتـاة في منتصف الثلاثينات، ممتلئًا ببقايا حب الشـباب التي بدت واضحة، برغم محاولاتها المسـتمرة، لجعله وجهًا جذابًا. شـاهدت مشـيتها، وكانت أكثر المشـيات التي شـاهدتها مكسـرة بهذا الشـكل، حتى لكأنهـا بـلا عظـم ولا غضاريف. وحين نادت على بائع خضروات متجول، لتشتري شيئًا كما يبدو، كان صوتها أشبه بموسيقى رحبة، تراقص في رحابتها البائع والطريق كله.

قلـت فـي نفسـي، بـلا أي تـردد: هذه الفتاة لن تظل مكسـرة وذائبة في الطريق، إلى الأبد. سيتزوجها قدسي قرياقوس، ذات يوم.

وقد كان يا أسـماء.. كان لسـعادتي الشـديدة، التقيت الحداد ألبيرت مصادفة في الطريق، كان سعيدًا جدًا، ويصفر بلحن مهووس لمغن قبطي، اسمه «إليا شكر»، لم يكن معروفًا على نطاق واسع في

المدينة، وأخبرني وعيناه تصبان السعادة صبًا، بأنه على وشك أن يتخلص أخيرًا من مريا وعذوبتها التي كانت تغيظه، وتعاسة بقائها مكسرة في الشوارع، فقد تمت خطبتها، لصاحب رياض الأطفال قدسي قرياقوس.

لكن ما جعلني أبكي تعاسة، هو ما خمنته في شأن المراهقة الوقحة، أخت عبد القادر، بعد أن شاهدتها ذات يوم، تتسكع قرب معهد(إيفرست) لتعليم اللغة الإنجليزية. كان مكانًا مجرمًا وخطرًا، ومرتعًا لصيادي المحبطات من الفتيات الصغيرات. رجال عاطلون، وأفذاذ في الكذب ومن كل طبقات المجتمع، يتأنقون ويأتون، يبذرون الكلام المعسول، ولا ينتظرون حصاده، لكنهم يحصدونه نيئًا. وقد شاهدت في ذلك المكان من قبل، سائق شاحنة في الستين، من أقاربي، له أبناء وأحفاد، يقف بكل رعونة، يغازل بألفاظ السائقين، التي لا تستطيع أن تتجاوز عبارات مثل: الناقة، والتريلة، والصيدة. حتى فاروق كولمبس، برغم تفرده الشديد، وزعامته للضلال في حي المساكن، كان يأتي أحيانًا، يتلفت ساعات كأي ضال منحط عادي. وقد أخبرني معلم زميل، اشتهر في المدرسة، بدقته، وصلابته في متابعة التلاميذ، إنه اعتاد على شن حملات مفاجئة لمعهد إيفرست، خاصة في أمسيات الخميس، ودائمًا ما يعثر على طلاب من المدرسة، والمدارس الأخرى، مبعثرين هناك.

لم أذهب هناك لأغازل أو أصطاد، كما قد تظنين يا أسماء، كنت موجودًا بلا معنى، لأن تصرفات كثيرة في حياتي، أصبحت بلا معنى، أتصرفها بلا وعي، وأعود لأنكرها حين يأتي الوعي.

كانت أخت عبد القادر، واقفة بارتباك، أكد لي أنها مرتها الأولى أو الثانية، في ذلك المكان، غطاء شعرها الرمادي الشفاف،

يسقط عن رأسها، وتعيده، وبمنديل وردي صغير، كانت تركض خلف العرق الذي يتساقط من وجهها، لم أشاهد صيادًا يحوم من حولها، والصيادون انتقوا فرائس أخرى، أو ينتظرون فرائس ذات شأن، قد تخرج من باب المعهد، أو تظهر في الدرب، في أي لحظة، تواريت سريعًا خلف إحدى البنايات المجاورة، حتى لا تراني، وبقيت عدة أيام، أزيحها عن حاسة التخمين، وتأبى إلا أن تجيء، وفي النهاية، كلمت نفسي بما قالته الحاسة، وتمنيت أن تكون كاذبة: ستهرب. ستهرب برفقة صياد عجوز، بلا أسنان قادرة على نهش صيد أفضل.

وكان ما سمعته وأنا مار في المدرسة بعد ذلك، من تلميذ يسكن في حيهم، حين كان يخبر زملاءه عن فضيحة في الحي، فقد هربت فتاة من منزل أهلها ثلاثة أيام، وعثروا عليها في بيت حلاق أعزب.

بالطبع لم أسأل يا أسماء، ولا تتبعت المأساة أبدًا، وأعرف أن الناس يبدون صغارًا، وبلا وجوه ينظرون بها، حين تباغتهم الفضائح، الفتاة ستقلم أظفارها بلا شك، ستسجن في قفص من التعاسة، سنوات طويلة، وربما يعثرون على شحاذ أو خارج عن القانون، يزفونها له.

ولأن عفراء، الجارة الممعنة في إزعاجي، الحامل التي لا ينقطع لهاثها، كانت هدفًا مؤكدًا لحاستي المبدعة، تتقافز أمامها باستمرار، فقد خمنت بأنها ستسعى لتزويجي من فتاة تعرفها، بأي طريقة، بعد أن اكتشفت بأنني لم أكن صادقًا، حين أخبرتها بخطوبتي. خاصة أنني سمعت بأن لها أختًا عزباء في الثلاثين، ستأتي لزيارتهم ذات يوم، لكن تخميني لم يكن دقيقًا هذه المرة،

فقد جاءت الأخت، وبقيت ثلاثة أيام، وسافرت، من دون أن أعرف حتى أنها كانت موجودة. ولولا أنني رأيتها في عربة أجرة ذاهبة بها إلى مواقف السفر، لما عرفت.

لم أدقق كثيرًا في سبب إخفائها عني، ولم أبتئس من فشل التخمين. أو أسعى لإزهاق الحاسة بداخلي، اعتبرت ذلك شيئًا عاديًا يمكن أن يحدث لأي حاسة مكتملة، مثل البصر، حين ينخدع أحيانًا، والشم حين يظن أن وراء العطر الرشيق، غزالًا رشيقًا.

- 8 -

أول شيء يخصك، عملت عليه بالحاسة الجديدة يا أسماء، هو الحي الذي تسكنينه.

الوجه الراقي، متقن الملامح الذي شاهدته في الأثر الطلياني، في ذلك الخميس المختلف، كان أحد الأدلة، وسأخبرك لاحقًا، كيف عملت على هذا الوجه، وغيره، من الملامح، التي التقطتها، واستخرجت حياة كاملة لك، و كنت موقنًا أشد اليقين، أنها حياتك التي لم أحذف منها فقرة واحدة.

لم تكن بالمدينة أحياء تشبهك، ويمكن أن تؤويك بارتياح، إلا خمسة أو ستة، سأقرأها لك الآن واحدًا واحدًا، وأعرفك بحيك الذي تسكنيه.

حي الأقباط، في وسط المدينة، حيث كنيسة العذراء الملونة، وأطلال ميدان سباق الخيل القديم، والمدرسة الكنسية العتيقة، وبرك السباحة التي ردمتها التقلبات، وما عادت سوى ذكريات، قرأته بتمعن وألغيته بسرعة، برغم وجود كثير من الأسر غير القبطية، تتناسل بداخله منذ تم بناء المدينة بشكليها: المترف، والحزين، أواخر القرن الماضي. إنه الحي الذي أنجب «نيقولا منسي»، سمسار العقارات ذائع الصيت، و ألفريد فلسطين، تاجر الخمر المستورد، وصاحب خمارة الملائكة، الواقعة في وسط السوق. وعشم الله، صاحب وكالة سيارات عشم الله، التي كانت

أول وآخر وكالة للسيارات تعرفها المدينة، والصافي مختار، الذي لم يكن قبطيًا بالطبع، ولا يعرف أحد قبيلته بالتحديد، وكان محافظًا للمدينة حتى عهد قريب، وكان من الممكن أن ينجب ذلك الحي، الطفل المعجزة، «عرفان» الشهير بـ«بيليه» السواحل، الذي أصبح هدافًا في دوري الدرجة الأولى لكرة القدم، وهو في الثامنة من عمره، لولا أن أمه تطلقت، وخرجت به من حي الأقباط ذات ليلة، وما يزال جنينًا في الرحم. و«نسمين» الهندية الأصل، التي كانت مشروع راقصة من فئة نادرة، لولا أن أسرتها عادت إلى بلادها فجأة، في هجرة عكسية.

هذا الحي، مترف للغاية، ومدهون بالوجوه الطامعة، والوجوه التي تطمح لأن تطمع، ولا يشبهك يا أسماء، لا يشبه عينيك ولا قوامك، ولا أقمار السحر التي كنت توقعينها في ذلك الخميس المختلف.

لست أنا من يقول ذلك، حاستي هي من تقول.

حي البحر، بالقرب من الشاطئ، حي أرستقراطي عريق، لا أحد ينكر ذلك، الحي الذي أقامت فيه «تهانيس قبرسلاس»، إحدى حفيدات إمبراطور الحبشة، حين زالت دولة آبائها، واستلم اليساريون الحكم في بلادها، وتعرضت للاضطهاد، كما قيل، وكانت في منتصف العمر، متكبرة، وخاضعة لغرور بلا معنى، وكنا نشاهدها في السوق، ونشاهد شراءها العشوائي، ونتسابق في تخمين ثروتها.

الحي نفسه الذي كان هدفًا للسياح من أبناء حي المساكن، وغيره من الرزائل الشعبية، حي الفندق الكبير، والبنوك الاستعمارية، وقد قالت جدتي لأبي، وكانت في التسعين آنذاك، بأنها شاهدت

بعينيها، «جراهامز آدم»، أحد مجرمي الحرب العالمية الأولى، كما أخبروها، يتجول في ذلك الحي، على فرس رمادية.

هذا الحي لا يشبهك، لا يشبهك أبدًا. وأيضًا حاسة التخمين المتمكنة، هي التي تقول.

حي الزهرة، الجديد، في الطرف الشرقي من المدينة، يشبهك إلى حد ما، لكن وجود عدد من العشوائيين والأثرياء الجدد بداخل جيناته، يجعل الحاسة تغتاظ منه، وتفر. لن تكوني من سكانه، لأنك لن تكوني عشوائية أبدًا.

لم يبق في سلة الرقي، سوى حي واحد، جدير بك، بعد أن استبعدت أحياء الموظفين الصغيرة كلها. حي البيوت العشرة، البيوت الستة، حي الطابقين، تلك بيوت أنبتتها الدولة لموظفيها، ولا يمكن أن تنتج غزالًا، إلا نادرًا. حاستي من قال تلك العبارة، وقد تصدق أو تخيب، لكني سأعتبرها صادقة بيقين كبير.

خلاصة سياحة الحاسة المتأنية، هي أنني بعد هذا السطر الذي وضعت تحته خطين كبيرين، قد أصبحت عاشقًا مجنونًا لحي «البستان»، الذي هو حيك، وصديقًا له حتى يومي المعنوي الأخير.

سأفاجئك كثيرًا، وللأسف لن تصلك مفاجآتي، لأنك كما أخبرتك سابقًا، لا تعرفين أصلًا، أنك ردمت معلمًا منضبطًا بمقرر جبار في مادة العشق، وصيرته ممتحنًا أزليًا في اختبارات ما ظن أبدًا، أنه سيخوضها في يوم من الأيام.

سأجبرك على النواح، ولأنك لن تدركي لتنوحي، سأنوح نيابة عنك.

أول ما فعلته، بعد توصلي لمكان إيوائك، هو أن توسلت

للأرق، أن يظل أرقًا ناصعًا. كانت الواحدة صباحًا، وأعرفها ليس من ساعة يد أو حائط، ولكن من ديك غبي، من ديوك حي المساكن، اعتاد على الصياح في تلك الساعة، ومن رائحة بخور صندل، لا أعرف مصدرها واعتدت أن أشمها في تلك الساعة، ومن آفات بيتي الشخصي، ثمة غطاء لحلة، دائمًا ما يسقط من رفه في تلك الساعة، بلا أي سبب معروف، وقط بلا حياء، اعتاد على ملاحقة القطط من أجل المتعة، في حوش بيتي الضيق، وأيضًا، لا تبزغ قلة حيائه إلا في الواحدة.

لم أكن أود النوم، لأن النوم قد يفسد متعة تخيلك في واحد من بيوت حي البستان، عندي درس عن الزيوت الطيارة وصناعة الصابون، كان من المفترض أن ألقيه في الصباح، ولم أحضره جيدًا، لأن تحضير العلم لم يعد يستهويني، وأحس بالنشوة المعذبة، وأنا أعمل على تحضيرك من لحظة لقاء طفيفة، حدثت ذات خميس.

في أول المساء، وبعد أن انصرف كولمبس وزوجته اللاهثة من حياتي، بعد أن عربدا في عورات بيتي كعادتهما، وأخبراني بأن عفراء من المفترض أن تنجب بعد يومين، كما أخبرها الطبيب في آخر زيارة، وكما قدر زوجها أيضًا، بعد أن خبط على بطنها عدة مرات، وتشمم رائحة جنينها الذي هبط إلى الحوض أخيرًا، فوجئت بزيارة أخرى مفاجئة للتائب الجديد، محي الدين ألماني. والحقيقة أنني لمت نفسي كثيرًا حين رأيته، بصحبة جماعته أنفسهم، يقف عند بابي. لقد كان ألماني هذا صديقًا من نوع الأصدقاء الذين لا تشتاق لرؤيتهم، ولا تبحث عنهم إلا إذا كنت ستخبرهم بأخبار تهمهم عرفتها مصادفة، أو تعزيهم في ميت، وكما قلت، كانت لقاءاتي به متباعدة، ولدرجة أنني لم أعرف بتخليه عن مهنة الكتابة

الكذابـة، وصيد السـائحات وارتدائه لثيـاب الدين، إلا حين ذهبت أنكشه في تلك المهمة الساذجة.

أنـا مـن نكشـت ألمانـي بهيئته الجديدة، وأدخلتـه حياتي التي كانـت ضيقـة فـي الماضـي، وازدادت ضيقًا حين طليت بالعشـق.، وما كان ليدخلها بهذه الصورة، لولا ذلك الخطأ.

لم أكن أعرف ما يريد هذه المرة أيضًا، وقد انتهى خروجهم في سبيل الله، لمسجدنا منذ فترة، وانتقلوا لمسجد آخر كما أتخيل، ولم أزرهم بالطبع.

لم يبد على ألماني ومرافقيه، الذين كانوا سـبعة، هذه المرة. أنهـم جـاءوا مـن أجل جملـة هداية طارئة، يرددونهـا أمام الباب، ويذهبوا كما حدث في المرة الأولى، كانوا أقل ثباتًا، وطلبوا مني إدخالهـم بسـرعة، حالمـا فتحـت البـاب، وكانوا يتلفتـون، ودخلوا قبل أن أفتح الباب تمامًا، كانت تفوح منهم رائحة ياسمين زيتي، ولاحظت أن الأزهري، قد خضب لحيته بالحناء، ويحمل في يده كيسًـا من الخيش، وضعه على الأرض في وسـط الصالة الضيقة، قبل أن يجلسوا جميعًا.

كنت مضطربًا يا أسـماء، ولا أدري لماذا تخيلت أن الكيس يحوي سكينًا، أو ساطورًا، وأنهم بصدد إراقة دمي لسبب لا أعرفه. فكرت في لجوئي الأبله لألماني في ذلك اليوم. ودلق سري وسرك عنـده مـن دون تدقيـق في وظيفـة لحيته البيضـاء، وصمته العميق، وتحديقه الطويل إلى البحر، ملغيًا سائحتين نظيفتين كانتا تجلسان. فكرت في شيء أكثر خطورة، أن يكونوا رجال أمن، من فئة خاصة، وأننـي علقـت فـي مسـألة وطنيـة مـن دون أن أدري. لكن هل من الممكن أن يكون عشقي، ردة واجبة إراقة الدم؟، وأن تكوني أنت

الخيانة العظمى التي ربما يريدون اجتثاثها؟، ذلك أنني لم أعلق في شيء آخر غير حبك في تلك الأيام.

ذهبت مرتبكًا وقد تعطلت حاستي المتمكنة تمامًا، كأنها لم تكتشف بعد، إلى مطبخي الذي ترتبه عفراء اللاهثة، كلما أحست برغبة في ترتيب مطبخ، وكان مرتبًا بالفعل. الكوب يبدو كوبًا والملعقة ملعقة، وبراد الشاي، برادًا لشاي، وأكياس شاي الليبتون، موجودة في علبة شفافة نظيفة، من البلاستيك، ومن السهل ملاحظتها.

أعددت شايًا جاهدت أن لا أريقه على يدي، أو الصينية التي حملته فيها وعدت لأجدهم قد اتكأوا على المقاعد، نزعوا عمائمهم عن رؤوسهم التي بدت كلها حليقة تمامًا، بما في ذلك رأس الصديق ألماني. كان أحدهم قد رفع كيس الخيش عن الأرض، ابتدأ بفتحه، ولمحت شيئًا أبيض لامعًا في الداخل، ويمكن بكل سهولة، أن يكون سكينًا أو ساطورًا. ارتبكت أكثر يا أسماء، ارتبكت لدرجة أن بطني انتفخ، وأسمع قرقرة الغازات فيه، كأنها أصوات طبل تصم الآذان.

أخيرًا وبعد رشفة طويلة من كوب شايه، تحدث ألماني، وكان صوته أكثر خفوتًا من أي يوم آخر سمعته فيه:

- أسمع يا أستاذ.

لم يقل اسمي، وهو الصديق المفترض، كأنه كان سينطق خطيئة، لو قاله.

هل تعرفين ماذا كان في كيس الخيش يا أسماء؟

لم يكن ساطورًا ولا سكينًا حادة النصل، ولا أي أداة أخرى

مـن أدوات فعـل الأذى، مجـرد شـطائر جبن فقيـرة، ملفوفة بورق القصديـر. نثروهـا على الطاولة، وابتدأوا في التهامها، مع رشـفات الشـاي. وهم يصرون على مشـاركتي لهم. لقد خجلت يا أسـماء، خجلت من خوف خبيث، ما كان يجب أن أتبعه، خجلت من أنني أكرمت ضيوفًا بشاي شبه مر، وأنا أرتعد.

هل تعرفين، ماذا كانوا يريدون؟

ألمانـي قالهـا صراحـة، واسـتغفر قبلهـا وبعدهـا بمـا يشـبه الاعتذار.. يريدون مكانًا لاجتماع طارئ، ستظهر نتائجه لاحقًا. لقد شمت السلطة رائحة أفكارهم، وابتدأت بملاحقتهم في دور العبادة، والبيوت التي يتجمعون فيها، واقتنصت كثيرين، ينتمون إليهم، ولم يجدوا سوى بيتي، بوصفي بعيدًا عن الهداية، وأقرب إلى الفاسقين، ولـن تتخيـل السـلطة أبـدًا، أن فـي بيتي رجالًا طاهريـن. تخيلي يا أسـماء أنا بعيد عن الهداية، وفاسـق لأنني أعشـقك، وألماني بكل ماضيه المعروف، المسجل في أجساد السائحات، ووسائل الإعلام العمياء، الروائي بلا رواية، وكاتب ملحمة تاجوج الحسناء، التي لم تكتب، هو الطاهر، الذي يذبحني، ويعتذر.

لقد حاول أن يضحك، وكان ثمة مسـواك أخضر من سـيقان الأراك، يعـوق ضحكتـه، يجعلهـا مشـروع ضحكـة، أو بالأحـرى، يجعلها تكشيرة.

من المفترض أن أغادر بيتي الآن، كما طلب مني، أذهب إلى أي مكان أريده، ولا أعود إلا بعد أربع أو خمس ساعات على أقل تقدير، ويكونون قد انصرفوا.

لم يكن ألماني أو مرافقوه في حاجة إلى نظرات من الجمر،

يلقونها علي، ولا كانوا بحاجة إلى كلمة إضافية، تخبرني بأن ألتزم الصمت.

كانـت تجربتـي القديمة مـع الدهاليز المظلمة، وصانع الأذى حكيم الدرل، حين فر بخاري، كافية لجعلي أغادر، بنفس شعوري الذي أغادر به يوميًا، وأنا أترك بيتي بلا أحد.

- 9 -

قلت لزميلي شمس العلا، أو عاصم كما سمى نفسه مؤخرًا، تحت الضغط العاطفي، والذي كان يملك دراجة نارية من ماركة "فيسبا" الألمانية العتيقة، يستخدمها في طرق بعيدة، يعرف تمامًا أنها لن تطأ بقدمي خطيبته المرفهة، ذات يوم، قلت له: إنني أحتاجه في خدمة.

في الماضي، وقبل أن أعلق فيك، وبرغم صداقتنا الوطيدة، كانت الخدمات المتبادلة بيني وبينه، لا تتعدى أن يغطي أحدنا الآخر في حصة درس واجبة، حين أكون أو يكون بلا مزاج لإلقاء درس. أو أستعير الورنيش الأسود، اللماع الذي يحتفظ به في درجه دائمًا، لتلميع حذائي المتسخ فعلًا، وكان مصابًا بفوبيا اتساخ الأحذية، يعمل على مسح حذائه كلما كانت الفرصة سانحة، وفي أحيان قليلة، كان يمسك مقصًا موضوعًا أمامه، فجأة، يقتحم شاربي الذي لا أعرف كيف أجعله شاربًا محترمًا، ويقوم بتهذيبه، واقتلاع الشعيرات البيضاء التي ربما وجدت على حوافه. كلانا كان معلمًا، وكلانا يتقاضى ذلك الراتب المتخاذل، لذلك لم تكون القروض المالية، متبادلة بيننا أبدًا.

كنا في آخر اليوم الدراسي، ثمة حصة واحدة تبقت لكل منا، ونعرف تمامًا، أننا لن نعثر على تلاميذ نشطين، يساعدوننا بالاستيعاب، ونستلف نشاطهم، لننشط بدورنا. أنا شخصيًا لم

أكـن متحمسًـا لتلـك الحصـة، ولا لأي حصـة قادمـة فـي أي يوم آخـر، وقـد بـدأت قواي الذهنية، تبتعد شـيئًا فشـيئًا عن ثقة المعلم وكفاءتـه، وتقـول حاسـتي المتمكنـة، إننـي قريبًـا، سـأكون خـارج الخدمة التعليمية إلى الأبد.

لقد فكرت كثيرًا في مسألة عشقك المتشعبة بصورة مؤسفة يا أسماء، فكرت أن العشاق ليسوا أنماطًا رزيلة، متعطلة عن العمل، كما يتصور الناس العاديون، هم موظفون في جهة ما، الجهة التي لـن تمنحهـم مرتبـات شـهرية بالطبع، ولكـن قد تمنحهـم رتبًا في الشـعور لا يحلم بها الجنرالات العسـكريون أنفسـهم. وبالرغم من أن قصة عشـقي، لم تتعد الشـهرين حتى الآن، إلا أنني وبمنتهى النزاهة، أستحق درجة العاشق الأولى، أستحق أن أدرج في قصائد بني عذرة، باعتباري من سلالتهم المعاصرة، ولو عثرت على صفحة فارغة، تخص العشاق في كتب التاريخ، سأدخلها بلا أي تدقيق.

انتهى شمس العلا، من تلميع حذائه للمرة السادسة، منذ أتى به لامعًا في الصباح، أخرج من جيبه لوحًا صغيرًا من الشوكولاتة، ماركـة "جيرسـي"، التـي غـزت المدينة مؤخرًا، مـن ضمن بضائع متعددة، يتاجر بها بحارة السـفن، قسـمه إلى نصفين، التهم نصفًا، وألقى إلي بالآخر، قال:

- ما هو نوع الخدمة بالتحديد؟

- أن نقوم بجولة على دراجتك النارية في حي البستان؟

- حي البستان؟

لم يكن اسـتغراب غشـيم لا يعرف حي البسـتان، بالرغم من أن خطيبته لا تسـكنه، وتسـكن حيًا ليس أرسـتقراطيًا تمامًا، ولكنه

شبه أرستقراطي، ويملك أهلها فيه بيتًا منذ سنوات، هو بالتأكيد استغراب يخصني شخصيًا، بوصفي واحدًا من سكان حي المساكن الذين من المفترض أن لا يخطر البستان على ذهنهم في أي يوم من الأيام.

لم تكن ثمة لعنة أكثر من اضطراري لإخباره بأنني قد أصبح من عشاق ذلك الحي، ولم أكن مضطرًا لإخباره، لحسن الحظ، قلت له، إن أحد أقاربي العاملين في الخارج، يريد شراء بيت هناك وكلفني بإلقاء نظره. أعجبتني جملة إلقاء نظرة هذه، وتوقعت أن تصبح قريبًا، واحدة من جملي المفضلة. لم يقل شيئًا، تأكد من نظافة حذائه، والتقط مفاتيح دراجته، ولم ينس أن يخبر ضابط المدرسة، إن درسي ودرسه، قد ألغيا لعذر طارئ، ويمكن أن ينصرف التلاميذ.

تحركنا من المدرسة، شمس العلا يقود دراجته، وأنا أجلس متشبسًا بظهره، في الخلف، في وضع لا يسمح لي بالتفكير في الحب، وكنت أفكر برغم ذلك. في وضع سينتقص كثيرًا من مكانتي كمعلم، لو صادفني أحد من معارفي، أو ولي لأمر تلميذ، ولم أكترث، فلن أعود معلمًا في وقت قريب، كما ذكرت.

كان شمس العلا أصغر مني بعقد، وأقدر مني في استيفاء شروط راكبي الدراجات النارية، ولا يوحي بجسده الهزيل، ونظارة الشمس العاكسة على عينيه، بأنه صاحب وظيفة مقيدة، ولو قال لأحد بأنه صبي حدادة، عند ألبيرت راجي القبطي، أو بائع التذاكر في شباك سينما الشعب، لصدقه، وحين كان يشارك بآرائه الجريئة، عن تحرير التعليم من قبضة النصوص الشعرية الكئيبة، التي تملأ كتب اللغة العربية، في اجتماع المدرسة الشهري، كنت

أرى ابتسامات أساتذة تلك النصوص، وقد اتسعت، ويأتي العام القادم، لنجد نصوصًا أشد كآبة، قد أضيفت. ولا أنسى حين كنا نتمشى على أقدامنا ذات يوم، في شارع الدولارات، كما يسميه أهل المدينة، والذي يتوسط السوق الكبير، أشار إلى تلك الدكاكين المتراصة لتجار العملة الذين يتاجرون فيها سرًا، ويعرضون سلعًا متنوعة في العلن. وقال بحقد:

- ما نفعهم للمجتمع، هؤلاء الجهلة الأثرياء؟، ما دورهم في التنمية؟، هم وتجار الماشية، وغيرهم من الهامشيين الذين اغتنوا بلا كد؟.. قل لي ما دورهم؟..أتمنى حقيقة لو ماتوا جميعًا.

كانت المرة الأولى التي أسمعه فيها يتحدث بتلك التعاسة، وذلك الغل الذي لا بد كان يملأه، وأراد أن يدلق شيئًا منه على الطريق.

اجتزنا الطرق المزدحمة، كان الجو مشبعًا بالرطوبة، ثمة حر خفيف، في بداية غضبات صيف المدينة الساحلية، وأيضًا نسمة رقيقة، تشبهك يا أسماء، تتمشى جيئة وذهابًا في شوارع الحرارة، لم يصادفنا أحد نعرفه، ولا تمنينا ذلك بالطبع، وحين عبرنا الجسر القديم المؤدي إلى حي البستان، بدأت أرتبك، خفت أن أجدك مباشرة، في أول منعطف، و بلا أي مجهود، أو دقات قلب إضافية، وتضيع لذة أن أشقى في استكشاف بستان، أنت فيه زهرة الزهرات.

كان الحي عامرًا بالخامات كما أسميها، عناصر كيمياء الجمال التي تتفاعل في مختبرات مدهشة، لتنتج أجيالًا رائعة. البيوت ليست كلها مكتملة، ومزينة، كانت ثمة بيوت ما تزال تحت التشييد، وبيوت تبدو قد شاخت، وتساقط منها الطلاء، لكن

إجمالًا، كان الحي يشبهك جدًا، وأنت من سكانه، هذا شيء لا شك فيه على الإطلاق.

كان شمس العلا يقود ببطء ورزانة كما طلبت منه، وعيناي تلاحقان محتويات الحي وترصدانها، أدخلك ذلك البيت المصمم بروعة في شكل قوس قزح، بغتة، أخرجك من آخر أكثر جمالاً، أجعلك تشترين من تلك البقالة الشبعة، التي لا تشبه دكاكين حي المساكن المهدمة، والخالية من السلع، تصففين شعرك عند كوافير (نجود) الذي شاهدته لوحة في وسط الحي، وتخيطين الثياب عند مصمم، قطعًا سأصادفه الآن، في أحد الشوارع ...

فجأة خطرت لي فكرة ملعونة، وتمنيت لو استطعت أن أنفذها ذات يوم.. لن أخبرك الآن يا أسماء، أسمع شمس العلا يتثاءب وأخاله مثلي، بالكاد يحصل على عدة ساعات، يقضيها نائمًا.. لا، شمس العلا ليس مثلي، ولن يكون كذلك في أي يوم. هو ليس عاشقًا كلاسيكيًا، تضنيه الأيام بهذه الضراوة، كما تفعل معي. لم يكن يملك طيفًا، ويملك روحًا حية، ترتقي به شيئًا فشيئًا، وتغير اسمه إلى عاصم. ليت معضلتي كانت معضلة اسم كما أكرر كلما تذكرت شمس العلا، قبل أن يرضخ. كانت ستكون لا معضلة على الإطلاق.

كأني رأيتك تعبرين أمامنا فجأة، وارتبك القلب أكثر. لا لست أنت، التي عبرت إحدى الزهرات، لكنها ليست زهرتي.

وإمعانا مني في تضليل شمس العلا، المتورط في تلك الجولة النهارية، معتقدًا أنها جولة بحث عن بيت كما أخبرته، طلبت منه أن يتوقف أمام بيت أصفر داكن من طابقين، كتب على لافتة من الحديد بجواره، وبأحمر غليظ متعرج: المنزل للبيع.

كان يبدو جديدًا، وفي وسط الحي تقريبًا، ويطل على ميدان واسع، ما زال قاحلًا، لم تغزه الزهور بعد. دخلنا بباب مفتوح، من دون أن نطرق. وعثرنا على صالة عارية من كل شيء، ما عدا لوحة ملفتة للنظر، على أحد جدرانها، تمثل رسمًا كاريكاتويًا لميكي ماوس، إحدى شخصيّات قصص الأطفال الشهيرة. وتنتهي بدرج أنيق من الخشب البني، يقودَ إلى الطابق الثاني.

وقفت أتأمل المكان بعين جعلتها تبدو فاحصة، بينما شمس العلا، منحنيًا على الأرض، يمسح حذاءه، بخرقة نظيفة، أخرجها من جيبه. سمعت أصوات خطوات خفيفة، تهبط على الدرج، وفوجئت بامرأة مليحة في أواسط العمر، ترحب بنا بصوت غاية في الظرف. كانت ترتدي ثوبًا أبيض، مطرزًا بنقوش خضراء، وقد بدا وجهها مألوفًا لدي، لكني لم أتذكر أبدًا أين رأيته، وكما تعرفين وأذكرك دائمًا، أنني لم أكن في يوم ما، حليفًا لوجوه النساء، أتأملها وأنحتها على ذاكرتي، وأستعيدها متى ما شئت، ثم لتظهرين فجأة، وتصبحين الممحاة التي محت ماضي، وهذه المرأة لا أظنها من الوجوه التي أعقبت غسلي وتنظيفي وتصنيعي عاشقًا، وإلا لتذكرتها على الفور.

لم يكن ثمة حرج أبدًا بيني وبين المرأة المبتسمة، والبيت معروض للبيع، وبابه مشرع، وأسمع من ورائي خطوات أخرى لزبائن جدد، كما يبدو، جاءوا يستفسرون، وكان شمس العلا قد اختفى بمجرد ظهور المرأة، وأكيد ينتظرني على ظهر دراجته في الخارج.

سألت المرأة، وكان الزبائن الجدد، وهم أسرة صغيرة، قدانضموا إلينا، ووقفوا ينتظرون الإجابة:

- كم تريدون سعرًا للبيت؟

بدت في غاية الجدية، وهي تذكر رقمًا لم أسمع به شخصيًا من قبل، ولا ظننت أنني سأسمع به في يوم من الأيام. هذه مضاعفات حبك يا أسماء، أن تأتي الصدمات متتابعة، والرقم الذي لا يمكن حسابه في ذهني، كان من الصدمات العنيفة. لم يكن ثمة أخذ ورد، ولا أي محاولة للوصول إلى اتفاق، كما هو الحال في تلك المواقف، لأن الأخذ والرد نفسه، لا أظنه فصل لأسعار كهذه.

شاهدت المرأة تلهث فجأة، تخرج من حقيبة صغيرة، كانت تحملها، بخاخًا أزرق اللون، يستخدم في علاج أزمات الربو، تضعه على فمها، تستنشق بختين، وتسأل، بعد أن هدأ تنفسها:

- هل ستأخذ جولة في البيت، قبل أن نتناقش في السعر؟

كانت تسألني وحدي، لأن الأسرة الصغيرة انصرفت حالما سمع أفرادها بالسعر، واعتبرت سؤالها طيبًا للغاية، وخاليًا من سوء الظن، ولو تأملتني قليلًا، لرأت تباريح حي المساكن، مرسومة على وجهي، ولو وسعت شمها أكثر، لشمت رائحته النفاذة، تنبعث من جلدي، وأعضاء جسمي كلها. لن آخذ جولة بالطبع، إلا إذا أخبرتني أنك مزينة ومعطرة بالطابق الثاني وتنتظرينني.

ابتسمت وكانت ابتسامة راعيت فيها أن تشبه ابتسامة شار حقيقي، تماشيًا مع حسن ظنها. قلت:

- فيما بعد أختي الفاضلة، حين أحضر أسرتي.

- لا تتأخر إذن. هناك كثيرون شاهدوا المنزل ويودون الشراء.

قالت، وأدارت ظهرها باتجاه الدرج، وأيضًا كان ظهرًا مألوفاً لدي، أقسم أنني شاهدته من قبل، ولكن لا أستطيع التذكر.

حين عدت إلى شمس العلا، كان الطريق قد هدأ الآن، لقد دخل الحي في قيلولة، وهذه أيضًا من صفات الأحياء الراقية، أن تدخل قيلولتك مطمئنًا، من دون تفكير أن شيئًا ما سيلغيها، كما يحدث في حي المساكن وأشباهه من أحياء الرزالة وثقل الدم، القيلولة عندنا ليست ملكًا لصاحبها كي ينفقها كما يشاء، ولكن ملكًا حتى لنملة حقيرة، حين تقرص أحدهم، ويطرق بابك طالبًا إصبع معجون للأسنان، يضعه على مكان الوخز.

قلت لشمس العلا، إن البيت لا يصلح لقريبي، وبعيد تمامًا عن مواصفاته، وسأبحث في وقت آخر، حتى لا نتأخر.

في رحلة العودة، وأنا ما أزال أرج البيوت بنظراتي، خيل إليّ أيضًا أنني رأيتك، خيل لي مرة ثانية وثالثة ورابعة، وكانت بالطبع خيالات، أوقدها التفكير المستمر.

وأنا في بيتي، يمزق تأملاتي، صراخ جعفر، الابن الوليد لفاروق كولمبس، وعفراء اللاهثة، وقد جاء إلى الحياة، منذ يومين فقط، وذهبت لمباركته، حاملًا علبة حلوى رخيصة، أخذت أستعيد تفاصيل حي البستان في ذهني، أقرنها بتفاصيل أكثر إبداعًا، أعرف أنها موجودة بداخله. وفي اللحظة التي بدأت تتشكل فيها حياة منطقية سأمسك بها، وجدت كولمبس يقف عند رأسي. مجسدًا ما قلته قبل قليل، بأن قيلولات حي المساكن، لا يملكها أصحابها، ولن يملكوها في أي يوم من الأيام. لم يكن ثمة خطب ألم به أو بزوجته أو الطفل الوليد، ولا ثمة خطب ألم بأحد في الحي كله. إنها عادة فاروق التي اكتسبها منذ عرفت عفراء طريق بيتي، والتنزه يوميًا في عوراته. أن يقضي ساعات العصر عندي، يلف البانجو على ورق شفاف، ويضحك كلما شاهد ضبًا يزحف على سقف

الغرفة، أو ذبابة تسقط في فخ عنكبوت.

طلبت منه بصرامة، وأحسك تشاركينني استيائي، أن يعود إلى بيته، يبدو والدًا حديث الأبوة ويساهم في ضخ العطف للصغير، وتحضير حليب الأطفال. رد وأبخرة ضارة، تتصاعد من فمه وأنفه، تعقبها ضحكة انفلتت فجأة، حين عبر صرصور صالة الغرفة، وتصاعد بكاء الصغير أكثر :

- جعفر نائم.

- من الذي يصرخ في بيتك إذن؟

- عفراء.

ضحك بسخاء، ضحك حتى خلته سيفقد وعيه في تلك اللحظة، كان يتقلب على السرير ويضحك، يقوم ويجلس ويضحك. وحين انتهى، ومسح دموع الضحك، بكم قميصه البيتي المتسخ، وأعاد إشعال السيجارة التي انطفأت، كان المغرب قد أتى، ثمة صوت لأذان يأتي من مسجد الحي، ثمة فرقعة كبيرة، لا بد لإطار شاحنة، تمزق في الطريق. ولأن كولمبس أجل لقاءاته في ركن محاضرات الحياة، بمناسبة أبوته الجديدة، وأيضًا لأن عفراء نجحت كما أخبرني قبل ولادتها مباشرة، في تشويش عقله، وجعله يتلعثم كثيرًا وهو يلقي محاضراته، كانت جلسته في بيتي، ستمتد حتمًا إلى وقت بعيد، وخفت بشدة، أن يعتبر بيتي بيته، ويأتي لينام، فرارًا من صراخ الطفل. تلك الساعة، لن يكون ثمة تهاون، وأحب أرقي أن يكون أرقًا مشعًا صافيًا، أنت ملكته، وليس شخير عجوز مخدر الأعصاب.

في الثالثة صباحًا، وأنا على سريري، أكتب وأمحو، وأزيد

وأحـذف، وأختـرع الحقائـق، بكل صدق وإيمـان، تذكرت المرأة، صاحبة البيت الأصفر المعروض للبيع. وكانت مفاجأة.

لم أصدق أبدًا أنني كنت أمام حبل، تدلى أمامي لعدة دقائق، ولم أتعلق به. لعنت ذاكرتي، وما كان لي أن ألعنها، وسأعتذر لها، لأنك إحدى مكوناتها.

هل تعلمين من كانت يا أسماء؟

إنها المرأة التي كانت تبحث عنك بشدة، يوم العرس، المرأة التـي أضاعتـك كمـا أضعتك، لكن ومع كل ذلك فقد عثرت على المفتـاح بعيـدًا عـن صور عبد القادر الخالية من أي نكهة، وازدراء أخته المراهقة المسـكينة، وفتاة عنتر وإخوانه، وألماني المهووس، الـذي أدخلتـه حياتـي، وهـو لا يشـبه تلـك الحيـاة بـأي حـال من الأحـوال، وكل تلـك الفظائـع التي رافقت تعلقـي بك، منذ حدث وحتى اليوم. أقصى ما أتمناه الآن، أن تشـرق الشـمس بأسـرع مما اعتادت عليه، أن يصحو سائقو حافلات حي المساكن، أبكر قليلًا، وأكون في حي البستان، أشاهد صحو المترفين، وأدق باب المرأة، لأسأل.

ظهر الأمس، أخبرتها بأني سآتي برفقة أسرتي، لنشاهد البيت معًا، ولا أدري ماذا أقول لها، حين أعود وحدي بلا أي أسرة؟.

تركـت الأمـر لأقـدار الصباح، تصيره كيف شـاءت، وغفوت، تلـك الغفـوة التـي اعتدت عليها منـذ أن عرفتك. غفوة المقاتل في حرب.

- 10 -

حوالي السابعة والنصف صباحًا، وبمجرد أن انتهى طابور الصباح، الذي رُدد فيه نشيد "جند الوطن" الرمزي، وجُلد فيه عدة تلاميذ لم يلتزموا بقوانين الزي الرسمي، أو شوهدوا في أماكن لا ينبغي أن يشاهد فيها تلميذ، مثل شارع معهد إيفرست، أو كافتيريا مراحب، عند البحر، حيث كان يجلس ألماني في السابق، كنت أقف أمام مدير المدرسة الجديد، الذي خلف مديرنا القديم، بعد أن عين وكيلًا لوزارة التعليم.

لم يكن المدير الجديد، قويًا وواسع الحيلة كسابقه، ولم يكن صوته من ذلك النوع الذي أزعم أنه يُفصَّل للمدراء، وحكام الدول وزعماء القبائل، المستقبليين، بمجرد ولادتهم، وكانت يده اليمنى دائمًا مشغولة، إما بكتابة شيء على الورق، أو البحث عن شيء في أحد جيوبه، أو في سياحة بلا معنى على الرأس الأشيب، غزير الشعر. منذ أن استلم وظيفته وأعرف أنه لا يحبني، وخلته يقصدني شخصيًا، ولا أدري لماذا، حين ذكر في أول اجتماع شهري، يعقده لنا، بأن هناك معلمين في هذه المدرسة، بحاجة إلى إعادتهم طلابًا في المدرسة الابتدائية. حرضني شمس العلا، وحرضته أيضًا، وقررنا تحريض زملائنا الآخرين، على كتابة عريضة إلى إدارة التعليم، نطالب فيها، بتغييره، لكن ذلك التحريض ما لبث أن مات في صدورنا جميعًا، حين تذكرنا الحياة بلا دخل، حتى

لو كان ذلك الراتب المتخاذل الغبي، الذي نحصل عليه كل شهر.

قلت: صباح الخير سيدي.

وتوقعت صباح نور روتينيًا يخرج من فمه، كما يحدث عند الناس كلهم، لكن المدير ردد، ويده ما تزال مشغولة بالبحث عن شيء ما في أحد الأدراج المفتوحة على طاولته:

- من المفترض أن تكون في الصف الآن.

- نعم ولكني لا أستطيع التدريس اليوم.

لأول مرة، بحسب علمي، توقف الرجل عن إشغال يده اليمنى، وألقاها خامدة على الطاولة، ألقى ببصره كله علي، وتنبهت إلى أنه اكتشف خللاً ما يخصني، لأن عينيه ضاقتا فجأة، وحاجبيه ارتفعا قليلًا عن موضعهما. نهض من مقعده، التقط نظارته، وتحاوم حولي، وكان من الواضح أنه يتشمم الهواء المحيط بوقفتي، يبحث عن رائحة الخلل التي ستكون إن وجدها كما يتوقع، رائحة خمر بلدي قوي من إنتاج حي الصهاريج المتسخ، لكنه لم يعثر على شيء بالطبع، وعاد إلى مقعده وما زال بصره يشملني، وأشفقت من خيبته وكدت أخبره صراحة، إنني سكران بامرأة، سكران بأسماء، وذلك الخلل الذي يبحث عنه، موجود في القلب.

طلبت ذلك اليوم إجازة عارضة، من دون أن أوضح السبب، ومنحني إياها المدير بلا تردد، وألمح وأنا خارج من مكتبه، يده اليمنى قد عادت إلى الانشغال، تكتب شيئًا على الورق، وأعرف تمامًا ماذا كانت تدون: لون عيني الأحمر، قميصي الذي أرتديه بلا كي، ترنحي الواضح وأنا أقف أمامه، إنها علامات سكر الخمر التي يعرفها الجميع، ولكنهم، لا يعرفون بأنها علامات سكر آخر،

من خمر العشق، وأنني أدمنته، حد عدم القدرة على الثبات، لكن شكوك المدير أيضًا، لم تكن بلا فائدة، فقد نبهتني وفي لحظة فارقة بأنني كان من الممكن أن أفسد كل شيء، لو ذهبت لصاحبة البيت المعروض للبيع في حي البستان، وأنا بهذا الشكل، كانت ستعتبرني متسولًا، ستكتشف أنني غير أهل للتفاوض، وربما سلمتني للشرطة، بتهمة إزعاجها.

ركبت أول حافلة متجهة إلى حي المساكن، وكانت شبه خالية، في وقت ينزح فيه السكان من الحي إلى وسط المدينة، وليس العكس. دخلت بيتي وأسمع صراخ جعفر، يتمدد في الشقاء، مضيفًا إليه ما استطاع، وعفراء أيضًا، تصرخ محاولة أن تطفئ صراخ الطفل، وفاروق لم يكن موجودًا، ليضحك، لأنه ذهب إلى عمله بكل تأكيد.

في خزانتي الخشبية القديمة، عثرت على ملابس مناسبة، فقط عتقتها رائحة «النفتالين» المعتمدة رسميًا لدى أهل الوطن جميعهم، في حفظ الثياب بلا عثة، فردتها وتأكدت بأنها مناسبة للتسول الراقي، وارتديتها بعد أن رششت عليها عطرًا رخيصًا، أملكه، حتى أطرد قليلًا من رائحة النفتالين النفاذة، وحين خرجت أخيرًا، وركبت حافلة العودة إلى مركز المدينة، لأبحث عن سائق أجرة يقلني إلى حي البستان، كنت حريصًا جدًا أن لا يجلس بجانبي من يمكنه أن يفتك بأناقتي، مثل متسول أجرب، أو امرأة عجوز على شفتها سفة من التنباك. كانت الساعة قد اقتربت من العاشرة، حين ألقتني عربة الأجرة، التي ركبتها من وسط المدينة، في حي البستان، أمام البناء الأصفر المعروض للبيع، وأسمع سائقها طوال الطريق، يثرثر بلا توقف، ويتحدث عن أحقيته بالترشح لنقابة

سائقي عربات الأجرة، ويأبى الزملاء ترشيحه بسبب الحسد، وألتفت مذعورًا، لأجد السائق بعيدًا تمامًا عن أوصاف سابقيه اللذين ركبت معهما من قبل، و تحدثا عن نفس الموضوع.

أول ما طعن قلبي وأدماه حقيقة، وأنا أتأمل البناء الجميل، هو أن الباب الخارجي المشرع من قبل، كان مغلقًا، تلفت في هلع، ولم تكن لافتة البيع موجودة، ركضت إلى الباب وطرقته عشرات المرات، ولم يفتح أحد.

ماذا حدث ؟، ماذا حدث؟

أخذت أسأل نفسي ولا أجد إجابة.

كان الطريق ممتلئًا بالخامات، خامات مبتسمة، خامات ضاحكة، خامات تحمل حقائب من الجلد، وتمشي كغزلان، مشيت في الشارع بخطوات متعثرة، وعثرت على خياط نسائي اسمه «الرونق»، وروضة للأطفال، اسمها روضة «هناء»، لا تشبه تلك التي يملكها القبطي قدسي، والتقط منها مريا البيضاء، ومبنى واسع من عدة طوابق، مكتوب عليه بشقاوة، «حمى ليلة السبت»، وتذكرت أنه عنوان لفيلم سينمائي راقص، قام بأدائه «جون ترافولتا»، واشتهر بشدة في تلك الأيام، بعد أن عرض بسينما المدينة، وحول كثيرًا من الشباب إلى راقصين في الشوارع..

تلفت بلا هدف، وشاهدت رجلين بثياب الشرطة الزرقاء، يهبطان فجأة من عربة، ويمسكان بفتاة إثيوبية كما بدا لي، ولعلها خادمة. لم تكن تشبه حي البستان، وكانت متسخة الثياب وتبكي، وهما يجرانها، ويدخلانها العربة، والطريق بلا أي فضول، يمضي في مساره الطبيعي.

لـو حـدث ذلـك في حي المسـاكن، لتعطلـت الأرجل المارة كلهـا، وتوقفـت العربـات، وتطلعـت العيون والألسـن، تسـأل عما حدث، ولتم اختراع الحكايات المدهشـة عن امرأة، سـترتدي مئة صفـة. بعضهـم يحكي عن أنها سـارقة، بعضهم عـن كونها فاجرة، وربما وصفت بالعمالة لدى دولة أجنبية.

في لحظة ما، أظنها لحظة غيبوبة طارئة، سمعت من يكلمني، وانتبهت. وكان لدهشتي الشديدة، ألبيرت راجي الحداد، أخو مريا البيضـاء التـي مـا عادت ذائبة ولا مكسـرة في الطريق، وقد خطبت مؤخرًا لقدسي قرياقوس.

لم يكن مندهشًا كما كنت أتوقع، ولم يسألني حتى عن سبب وجودي في ذلك المكان غير المألوف، كما قد يفعل مواطن أصلي من حي المساكن، وأخبرني بكلمات سريعة لاهثة، وأشم رائحة التبغ تحاصره من كل صوب، إن الصهر المستقبلي قرياقوس، قد أوجد له بعلاقاته الواسعة في الدنيا، مقاولة جيدة هنا في البستان، وسيقوم بتنفيذ الأبواب والنوافذ لأحد البيوت حديثة البناء. لم تكن تهمني ثرثرته في تلك اللحظة، وأكاد لا أستمع إليه جيدًا، بل وأكاد ألعنه وألعن صهره، والأخت الذائبة في الشوارع بلا عظم ولا غضاريف. لـم يبـد علـى الحداد، أنه كان يحس بتفاعلاتي، أو يلمح أصابعي التـي كانـت تتحـرك بالقشـعريرة، وتحدث عن رغبـة أخته في ترك حي المسـاكن نهائيًا، والانتقال لحي آخر يليق بمكانتها، وسـتقنع زوجها بوجهة النظر تلك، حين يتم انتقالها إليه. والحقيقة لم أفهم مـا هـي تلـك المكانة، وأعـرف أن آل راجي، كانوا من طبقة أقباط شـعبيين، لـم تعـرف الثـروة طريقها إليهم أبدًا. هي ورشـة الحدادة الموروثة، التي يعمل فيها الأخ ويحصل على رزقه منها بمشـقة،

وعاصفة رقة عند الأخت، ربما ظنتها مكانة. وفي اللحظة التي بدا أنه غادرني فيها مفسحًا المجال لشقائي الخاص، عاد ليداهمني مجددًا، ويسألني إن كنت قد سمعت بالأخبار الجديدة.

تعرفين يا أسماء بأنني لم أعد متسقطًا لأي خبر إلا إن كان سيرسمك أنت، لا خبر إلا ما يجعلك تطلين من أي ناصية من تلك النواصي الممتلئة بالخامات إلا خامتك، أي حديقة داخل بستان أقف فيه ولا أحس بتغريد طيوره.

ماذا سيخبرني الحداد؟..أحدهم قتل أحدهم؟، أسعار الحديد ارتفعت فجأة؟، دفنوا نفايات ذرية في إحدى القرى؟، رئيس الوزراء التوى عنقه وأصيب بالشلل؟، اكتشفوا النفط في إحدى صحارى البلاد القاحلة؟، لا شيء يعنيني، ولا أستطيع أن أخبره بأنني لا أود سماع أي خبر. يعتبرني من وجهاء حي المساكن، برغم خلوي من أي وجاهة، ولولا تلك الصفة التي يخصني بها، لما كان كولمبس حيًا حتى الآن.

- اكتشفوا جماعة من المتطرفين التكفيريين، كانوا يخططون لمحاربة السلطة، وقتل الناس باعتبارهم ضالين، وسمعت بأنهم كانوا يجتمعون في بيت بحي المساكن، لكني لا أعرف أي بيت.

سأقول لك يا أسماء، وأنا خجل من نفسي ومنك، ومن عشاق بني «عذرة»، أسلافي في الشقاء، بأنك طرت في تلك اللحظة من ذاكرتي وحاستي المتمكنة، وأصبح من العسير أن أبقيك. طار ليل الخميس المختلف الذي أوقدك بداخلي، وطارت المرأة صاحبة البيت المعروض للبيع وطار بيتها، وحي البستان كله، وأصبحت الذاكرة فجأة، مسرحًا لقوى الأمن الوطني، تحتل بيوتها كلها، وتشنق على أبوابها، محي الدين ألماني وجماعته.

لـن يكـون ثمـة متطرفـون تكفيريون، اجتمعوا في بيت بحي المسـاكن غيـر ألمانـي وجماعتـه، الذيـن اجتمعـوا فـي بيتي، ذلك المساء غصبًا عني. يا إلهي.

أوسعت جسدي ثباتًا كي لا أسقط أمام الحداد، وناديت علي ابتسامة عصية، باهتة، ابتسمت بها أمامه، وقلت له بسرعة، قبل أن تفـر حتـى تلـك الابتسـامة الباهتة: «إن حي المسـاكن لا يمكن أن يحتفـي بفئـة ضالـة يا أخي، وأنا شـخصيًا أعرفـه أكثر من أي أحد آخر، بوصفي من سـكانه الأصليين»، ثم فررت من أمامه بسـرعة، وأبحث عن سيارة للأجرة، أنكمش داخلها.

لم أكن أسـتطيع الذهاب إلى حي المسـاكن، ولا حتى مجرد تشـممه مـن بعيـد، والتأكد مـن كلام ألبيرت الحـداد، ولا وجدت بداخـل الخيـارات الضئيلة، التـي أخذت تتقافز إلى ذهني، وتزاحم الرعب الذي يسـكنه، طريقًا واحدًا حتى لو كان مليئًا بالحفر، كي أسلكه.

ذلـك الاجتمـاع الوحيـد الذي جرى في بيتي بواسـطة ألماني ورفاقه في ذلك المسـاء، أصبح اجتماعات فجأة، وليس بمسـتبعد أبـدًا، أن تـزرع لـي داخـل السـراديب المظلمـة، لحيـة تشـبه لحى ألماني وجماعته، وأسـمى متطرفًا تكفيريًا، ولن أخمن ما سـيحدث بعد ذلك.

فـي داخـل الخيـارات التـي تومض وتختفي، جـاء منزل عبد القادر الذي اسـتأجره في وسـط المدينة، وكنت سـخيفًا في طرقي له من أجل الصور، منزل أهله في الحي الطرفي البعيد، المدرسـة التي أعمل بها، المستشفى عند فاروق كولمبس، بيت شمس العلا، فـي حـي «مايـو» الأفضـل قليلًا من حـي المسـاكن، وحين أعدت

تلك الخيارات جميعها ورتبتها باضطراب، وأنا في سيارة للأجرة، يتحدث سائقها عن أحقيته برئاسة نقابة سائقي عربات الأجرة، ولا أسمعه جيدًا، وجدتها جميعًا خيارات بلا طعم، خيارات مضروبة.

بيت عبد القادر لن أستطيع دخوله، لعدة أسباب، منها أن قريبي الآن في عمله، وأيضًا لأن ذلك قد يؤدي إلى طلاقه، وهو ما يزال في أشهر العسل الأولى. منزل أهله، لا أستطيع وداخله مراهقة فرت، وعادت مكرهة، ولا بد بأنهم يشوونها الآن، بعيدًا عن الغرباء، المستشفى، سهل اكتشافي فيه، المدرسة، هي المكان الأفضل لاقتناصي، ولا بد قد امتلأت الآن بكل الذنوب التي تسعى لتركبني. بيت شمس العلا لا أعرفه، ولم يسبق أن ذهبت إليه. هو من يأتي إلى دائمًا، لسبب إقتصادي بحت، هو أنه يملك دراجة نارية.

ماذا بعد؟..

تذكرت أصدقاء أبي كلهم، الذين رحلوا منهم، والذين ما يزالون أحياء. صديقات أمي كلهن، بعض المتسولين الذين عبروا بحياتي، تذكرت حي الصهاريج الذي لم أدخله في حياتي إلا نادرًا، وأقلعت حتى عن ذلك النادر بعد أن كبرت، تذكرت القبور التي تحوي أمواتي، تذكرت بخاري وهو يلتقط حقيبة بالية، يحشوها بالتوافه، ويفر، وتلك الأيام التي قضيتها داخل سرداب مظلم، خرجت منه محطمًا. وسائق العربة، توقف فجأة على ناصية الطريق، وسألني:

-إلى أين في وسط البلد يا أخ؟ لم تخبرني بوجهتك.

ولأني لا أعرف حقيقة يا أسماء إلى أين أمضي، تلفت حولي،

وكانت مفاجأتي عظيمة، قاتلة، حين وجدته قد توقف بالضبط أمام مبنـى أبيـض، مـن أربعة طوابق، بلا لافتة دالـة، وأعرفه جيدًا. كان مبنى جهاز الأمن الوطني.

لم أكن أملك وقتًا أتصفح فيه سائق العربة، وأشغل حاستي المتمكنـة فـي شـأنه، لأعرف إن كان مجنـدًا أمنيًا أم لا؟، هي عدة ثـوان، ارتعـدت فيهـا رعدتـي كاملـة وأخرجت الأجـرة من جيبي، ألقيتهـا لـه، وهبطـت، وأكاد أحتك بصف من التعسـاء، خرجوا من داخـل المبنـى فـي تلـك اللحظة، يتبعهـم أفراد خشـنون، بملابس مدنية. كان ما أرعبني فعلًا، أنهم كانوا جميعًا بلحى غزيرة، تشـبه لحيـة الصديـق ألمانـي. ولا أسـتطيع أن أجـزم إن كان هو أو أحد رفاقـه الذيـن أتـوا إلى بيتي، كانوا موجودين بين أولئك التعسـاء أم لا، لأنني كنت أبصر ضبابًا.

أسرعت بالابتعاد محاولًا أن لا ألتفت، وخضت في ماء راكد أسـود، وأنا أعبر، ووصلت إلى مبنى هواة الشـطرنج، القريب من المكان وأنا ألهث، ودخلته بلا تفكير، لأجد نفسي في صالة أضيق مـن صالـة بيتـي، محاطة بصف من الغرف، في أحد أركانها طاولة صغيـرة، جلـس عليهـا رجل في أواسـط العمر، مدجج بالأوسـمة والميداليات.

كنـت أعـرف ذلـك الرجل يا أسـماء، أعرفـه لأن لا أحد في المدينـة، حتـى لـو كان مـن سـكان أحد أحيائها البعيـدة، لا يعرف «قريشـي» الذي لم يكن أحد أبطال لعبة الشـطرنج المعروفين قط، ولا يعـرف أصـلًا كيـف تفتـح رقعة اللعب المطويـة، كيف يتحرك جندي، أو يقفز الحصان، ويقتل الوزير، ملكًا متوجًا، وكل علاقته باللعبـة، هـي أنـه مجنون، أوهمه الجنون بأنه بطل عالمي، وبالتالي

قام بتصنيع أوسمته بنفسه، ويأتي كل يوم من الصباح، يجلس على تلك الطاولة، ينتظر المعجبين الذين سيأتون، ليحصلوا على توقيعه.

لم تكن ورطة كبيرة، أو ليست ورطة على الإطلاق، أن أجد نفسي أمام مجنون عاشق للعبة ذهنية، إذا ما قارنت ذلك بورطة الحب الذي بعثرني، وورطة الأمن الوطني التي لا أعرف حجمها ولا أستطيع تصوره.

لم تكن ثمة ورقة داخل جيبي أو في ذلك المكان، وقررت أن أضحي بطرف قميصي، أمنحه للرجل، ليضع توقيعه، وكان قد ابتسم بعمق، رفع قلمًا من أقلام الكوبيا، مبريًا جيدًا، ولوح به في وجهي.

فجأة سأل وقلمه يتخبط في طرف القميص:

- هل تعرف فلادمير كرامنيك، وبوريس اسباركي، ورسلان بن مورروف؟

لم أكن أعرفهم حقيقة، وحتى لو كنت أعرفهم، ما كان بوسعي تذكرهم في لحظة تخبط كهذه. لقد بدت أسماؤهم روسية، ومن السهل التخمين بأنهم أبطال شطرنج دوليون، التقط المجنون أسماءهم، احتفظ بها في ذاكرته، ويستخدمها بلا وعي، لتسويق نفسه، في لعبة لا يعرف عنها شيئًا.

قلت: نعم، تلافيا لأي مشادة بلا ضرورة قد تنشب بيني وبينه، وفي نفس الوقت، كانت عيني على باب الخروج،

- تافهون ولا يعرفون الفرق بين النملة والصرصور، في لوحة اللعب. هزمتهم جميعًا في عقر دارهم، وطلبوا ملاعبتي في عقر داري، وللأسف الشديد، داري بلا عقر. أنا بطل عالمي.

أظنهـا كانـت فرصـة جيـدة، لاغتصـاب ابتسـامة وسـط ذلك الرعـب، أو فضـح ضحكـة، وهـذا لـن يحدث مني، إمـا خوفًا من تقلبات مزاج المجنون، أو احترامًا لحالة الخوف التي تركبني.

كان قريشي، قد عاد إلى طاولته، أصابعه تتسلى بالتوقيع على حواف الطاولة التي كانت ممتلئة أصلًا، ولا مساحة شاغرة، لإضافة جديدة، وعلى مقعد من الحديد الصدئ، جلسـت بدوري صامتًا، وما تزال عيني عند باب الخروج.

ثلاث أو أربع سـاعات مرت، وأنا في تلك الحالة، أفكاري تترنح في كل شـيء، إلا العشـق، ولدرجة ظننت فيها نفسـي، ذلك القديـم، المعـروف بلؤمـه في تذوق المرأة. وحين اقتربت السـاعة مـن الرابعـة عصـرًا، وأصبـح بالإمـكان أن يأتـي هـواة الشـطرنج الحقيقيـون، ليمارسـوا تدريباتهـم، ويجدونـي جالسًـا بلا معنى في مـكان لا يخصنـي، قـررت أن أتخذ القـرار الصائب، مهما حدث. سأعود إلى بيتي في حي المساكن.

كانـت مرتـي الأولـى في السـراديب المظلمـة، من أجل أخي بخـاري، وكان مـن الطبيعـي جـدًا، أن أحترق علـى أخي المفقود، وأستسـيغ ظـلام السـراديب ومضاعفاتهـا مـن أجلـه، وهـذه المرة ستكون من أجلك أنت، وأعتقد أن ذلك واجب حتمي، أن أموت حتى من أجلك، وإمعانًا في إقناع نفسي بالقرار الصائب في رأيي، خرجت من مبنى هواة الشطرنج، مشيت برصانة، وبخطوات عادية، وأقـرب إلـى خطـوات جلاد، من خطوات ضحية، بل وأنني وقفت قليـلًا أمـام مبنـى الأمـن، أشـاهد تعسـاء بسـمات وأزيـاء مختلفة، يدخلـون ويخرجـون، والثائـرة «دنيا» المعروفة بنشـاطها ضد ختان البنـات، وحملـت السـلطة في عـدد من الخطابات التـي ألقتها في

المدينة، مسؤولية البرود الجنسي لأكثر من مليون فتاة، تم ختانهن فـي الأعـوام الأخيـرة. كانت تسـاق أمامـي في تلـك اللحظة، إلى المبنى وقد شد أحدهم شعرها، ومزقه.

حين هدأ المكان، وجدت الرأي الصائب يضغطني لأدخل، لأسـتلم عذابـي سـريعًا، ولا أذهب للبيت أنتظـره، دخلت بثقة من البـاب الضيـق، المنخفـض الـذي لا يسـمح بالدخـول إلا انحناء، وكنـت أواجـه مجنـدًا حليـق الرأس، يجلس على كرسـي دوار من طراز حديث، وعدة هواتف، وأجهزة للراديو، تنبح بجانبه. وبحركة سريعة، التقط سلاحه، لكنه لم يصوبه نحوي:

- ماذا تريد يا سيد؟

كان يسألني.

مـن دون أن أنطق،أخرجـت بطاقتـي الشـخصية مـن جيبـي، سلمتها له، وقلت له بأنني أريد التأكد بأنني غير مطلوب في شيء، ولا بد أنه احتار حقيقة، فلم يكن كما أعتقد قد تعود على مثل هذا السلوك، إلا من مجنون.

تأمل بطاقتي قليلًا، تأملني أيضًا، أعاد تأملها، وتأملي، رفع سـماعة للهاتـف بجانبـه، أعطـى رقم البطاقة لشـخص آخـر، انتظر قليـلًا وعـاد ليخبرنـي بفظاظـة بأنني لسـت مطلوبًا في شـيء حتى الآن، ولكن قد أكون مطلوبًا بعد دقيقة واحدة، إذا لم أغادر. وكان جوابه كافيًا لأن أتنهد بارتياح.

في البداية، خرجت من المبنى، مشـيت وفي نيتي أن أذهب إلـى موقف الباصات الرئيسـي، اسـتقل حافلـة تمضي بي إلى حي المساكن، وفجأة جاءت أطيافك كلها دفعة واحدة، تلك التي فرت

في الصباح، لتهاجم الذهن من جديد، وتجعلني أغير وجهتي، سأعود إلى حي البستان مرة أخرى، سأبحث عن المرأة صاحبة البيت المعروض للبيع، وسأبحث عنك أيضًا، فما دمت تسكنين البستان، فأنت تسكنينه، وما دمت زهرة، فأنت زهرة زهوره، وما دمت حقيقة وليس خيالًا، فلا بد من العثور على الحقيقة، مهما كان الشقاء، ولو صادفني الحداد ألبيرت مرة أخرى، فسأفتك بأنفاسه، قبل أن يخبرني بأنهم اهتدوا للبيت الذي كان يزوره التكفيريون. لم أحس بأن مرتبي المتخاذل قد ضاع في سيارات الأجرة، وهكذا استوقفت واحدة، وقلت لصاحبها بمجرد أن تحركت:

-هل كنت تستحق الترشح لرئاسة سائقي عربات الأجرة، وخانك زملاؤك بسبب الحسد؟.

طالعني الرجل باندهاش، وهو يردد:

- نعم.. نعم.. كيف عرفت ذلك؟.

- خمنته.

قلت وأنا سعيد بأنني تخلصت من تلك الجملة، التي باتت أكثر جملة تافهة، أسمعها في تلك الأيام.

- 11 -

كان ليل حي المساكن قد تمدد بظلماته كلها، حين عدت إلى بيتي أخيرًا، بعد غياب يوم كامل.

مشيت بلا وجل من موقف حافلاته الشحيح في العادة، تلك الساعة، والمزدحم في ساعات النهار وأول المساء، إلى بيتي، وقد ضاعت آثار الطوفان كلها، وحلت مكانها سكينة الكآبة.

لم أكن خائفًا من أحد، وأنت قابعة حيث كان الخوف قابعًا من قبل وانهزم، لقد قال مجند الأمن الذي كنسني من بوابة مبنى جهازه، بأنني لست مطلوبًا حتى هذه اللحظة، أعني لحظة وقوفي أمامه، ولا أدري إن كنت قد طلبت أم لا، في تلك الساعات التي قضيتها، ألوك الجمر في حي البستان، من دون أن أعثر على جرعة ماء، تطفيه.

البناء الأصفر، ذو الطابقين الذي كان معروضًا للبيع، والذي اعتبرته مفتاحًا سلسًا، ربما يدور في قفل عصي، ويفتحه، مغلق بلا أي إيضاح. لافتة العرض المكتوبة بخط واضح، فرت من مكانها على تلك الأعمدة الحديدية التي كانت تحملها، الخياط النسائي الذي انتظرت قريبًا من بابه ساعتين، لا أجرؤ على الدخول، أغلق أبوابه في النهاية، وهو يخبرني بجلافة شديدة، بأن مهمته في الحي، هي تفصيل الملابس للسيدات، وليس سمسرة العقارات، ليعرف إن كان البيت الأصفر قد بيع بالفعل، أم ما يزال معروضا؟.

مساعدته التي كانت مليحة، وسمراء، وصغيرة الجسم بشكل مثير، اغتاظت بشدة، حين سألتها إن كانت تستطيع أن تدلني على صاحبة البيت، وكان استغرابي بلا حدود، حين صرخت: هل أشبه قوادة، في رأيك؟، بائع خضروات متقدم العمر، مر على عربة تويوتا، مكشوفة، تتوقف بعد كل عدة خطوات لملاحقة الزبائن، لم يرد، لا بخير ولا بشر، حين سألته، امرأة مسنة، تبدو على وجهها علامات غطرسة بلا حدود، رددت، وقبل أن أفتح فمي سائلًا: بأنهم ليسوا في حاجة إلى خادم أو بستاني، وصدقات أموالهم يوزعونها في السوق في مواسم الأعياد. أطفال يلعبون التخفي بمرح، تمددت في لعبتهم، وسألتهم عن الخالة أسماء، ففروا من أمامي فزعين، وجاءت سيدة من أحد البيوت، تبدو زهرة لكنها ممتلئة بالشوك، احتضنت صبيًا، ورمتني بنظرات كان تفسيرها سهلًا للغاية: متحرش بالأطفال.

اضطررت لتغيير مكاني عدة مرات، أناور في الحي، أدخل طرقًا، وتفرعات طرق، وتفرعات، تفرعات طرق، أجلس على كافتيريا أجدها أمامي، ولا أعرف محتويات قائمة طلباتها الغريبة، أعود إلى البيت الأصفر مرات ومرات، أطرقه بصبر، ولا أحد يفتح.

في حديقة صغيرة، مسورة بالحجر، يبدو أنها خلقت لتكون متنزهًا عائليًا عامًا، شاهدتها في أحد الشوارع، ودخلتها في أول المساء، لأستريح قليلًا، وألتقط أنفاس العشق، التي لهثت بها وبغيرها منذ الصباح، كانت الأضواء خافتة، ثمة عمال يحفرون أو يسقون النجيل، بلا حماس، خامات رشيقة تتمشى، ومشاريع خامات في سن المراهقة،، تتسلى بمطاردة الفراشات، عثرت على مقعد خال في ركن غير معتم تمامًا، وجلست أقيم وضعي، وليس

وضع أحد آخر:

كان الموضوع كله، يدعو للغرابة، إذا ما قيس بمواصفات الحياة المادية الجلفة، أن يترك معلم قاس، ونظيف من المرأة وشوائبها، فجأة تاريخه، ليصير واحدة من شوائب امرأة، لا تعرفه، وقد لا تحس به أبدًا، إذا صادف وعرفته، ولن تكون ثمة غرابة، إذا ما قيس الوضع بمقاييس الرهافة، والنظرة الأولى، والنصيب، ووافق شن طبقه.

أنا شن ووافقني طبق من الذهب، لكن يحتاج إلى عبور مغارات ووديان من العذاب، وأن أنتصر على أفاع تربض في مكان، لم أعرفه بعد.

لامست كرة من المطاط الأخضر قدمي، وكان قد دحرجها طفل نظيف، يرتدي ملابس زاهية، ركلتها فانزلقت إلى بركة ماء صغيرة، وصرخ الطفل. التقط الكرة، أعادها إليّ، نظفتها بورق شفاف، كان مشتتًا في المكان، سألته وكان في الخامسة تقريبًا:

- أين خالتك أسماء يا بطل؟.

- ها هي.

أشار إلى ركن تتجمع فيه الخامات، وأسمع ضحكاتها بشكل متقطع. نهضت واقفًا، ملسوعًا، والطفل يصيح: خالتي.. أسماء، خالتي..

ويا للسخرية يا أسماء، فقد كنت من خلفه، أصيح: يا أسماء، يا أسماء، ولا أحس أبدًا بأنني مجنون، وبأنني أسرفت في النشوة الضالة، ولدرجة أن أنساق وراء صياحات طفل، ولا أعرف هل أنت خالته أم لا؟، ولو كنت خالته بالفعل واستجبت، هل ستصدقين بأن

الأبله الذي يركض أمامك، يمكن أن يصلح عاشقًا؟ ...

نهضت فتاة من وسط الجمع، اقتربت، وكانت واحدة من الخادمات الإثيوبيات، اللائي انتبهت إلى وجودهن بغزارة في هذا الحي، منذ أمس، وكانت مهندمة في قميص أبيض، وتلف منديلًا أحمر على رأسها.

قال الطفل:

- هذه خالتي أسماء،

قلت بسرعة، وما أزال ألهث:

- توجد قطة أخافته، وكنت أبعده عنها.

والحقيقة أني لم أشاهد في حي البستان الذي أزعم أنني غربلته بتأن، أي قطة يمكن أن تخيف، كانت القطط التي رأيتها متزنة وناعمة، وصديقة للبيئة، ولا تشبه قطط حي المساكن الخبيثة بأي حال من الأحوال. يا للسخرية المرة يا أسماء، لو قيل لأمي في قبرها، إنني أصبحت متسولًا بلا حظ في حي لم أدخله إلا بهذه الصفة، لبكى القبر تعاسة، لو قيل لأخي بخاري في غيابه غير المعروف، إن أخاك ضاع، لضحى بفراره، وعاد، وسقط في الدهاليز المظلمة. ولو عرف مدير المدرسة الجديد، إن معلمًا للكيمياء، هو لا يحبه أصلًا، قد تورم حد عدم القدرة، على إنقاص جنونه، لطردت في نفس اليوم.

هذه النقطة الأخيرة بالذات، أزهقت معنوياتي بشدة، أن أطرد من صرح تعليمي شاركت في إبقائه صرحًا لأكثر من خمسة عشر عامًا، وهذا ما عزمت بأن لا أسمح به أن يحصل أبدًا، سأغادر بإرادتي، وبلا تدخل من رئيس أو غير رئيس في وقت قريب،

سأسميه وقت الانفجار، سأقف بوقاحة أمام تلك الطاولة، أشغل اليد المشغولة أصلًا، في التوقيع على استقالتي غير المسببة، فلست بحاجة إلى كتابة سبب، ولو سألني زملائي، سأتزرع بمحاولات الهجرة إلى أي بلد عربي، لتحسين وضعي، وسيصدقون، لأن واقعة تصويري من أجل جواز السفر، كانت قد انتشرت في المدرسة بشدة، ولدرجة أن بعض تلاميذي، اطلقوا علي، لقب السعودي، سرًا.

قالت الخادمة، وقد ارتدت سلوكًا لا يشبهها، ولا يشبه وظيفتها، سلوكًا متغطرسًا:

- اتركه، نحن نريد أن تعضه القطط.

تركتها تتغطرس للهواء، وعدت إلى ركني خجلًا، وفي اللحظة التي هممت فيها بالنهوض ومغادرة المكان، وأفكر في نكهة الليل، وأرقه المضيء الذي بت أحبه وأتمناه، وما سيحدث في الصباح، إن أصبح لي صباح، كان رفيقي القديم، محي الدين ألماني، يقف أمامي فجأة، وأخاله قد طال وتمدد، وخرج من كل الأمكنة.

- ألماني؟

صرخت منفعلًا.

- الشيخ أبو الصاحب.

سمعت صوتًا ينبع من العتمة خلفي، كان الليل قد تراكم بالفعل، تفرقت خامات الزهور إلى مخابئها، والطفل صاحب الكرة انصرف، برفقة الإثيوبية التي لا أعرف كيف سميت أسماء، ولا تمنح الاسم ظلاله وأبعاده، ولن تمنحها في أي يوم من الأيام.

الشيخ أبو الصاحب؟،

يا له من لقب كبير، متمكن، جلف، يستهزئ بالماضي الموحل، لواحد مثل محي الدين، لم يكن سوى صائد سائحات مستهتر، وروائي بلا رواية.

كان الأزهري هو صاحب الصوت، وكانا وحدهما، وعلى فم كل منهما مسواك من خشب الأراك، لكن ما سيجعلني أموت بحق، هو ذلك السلاح الناري الذي شاهدت الأزهري، يخرجه من جيبه، ويعيده.

- ماذا حدث؟ هل أنا متورط؟، هل أنا من الفئة الضالة؟

لم يضحك « أبو الصاحب» كما سمى نفسه، أو سماه الأتباع، لا أدري، راكلين لقبًا آخر ارتداه لأكثر من ثلاثين عامًا، لم يبتسم حتى، وعلى الضوء الخافت بالقرب منا، كنت أستطيع أن أميز وجومًا، أو لعله رعب، ينز من الوجه.

- لم نسع إلى توريطك يا أخي، لكنك من الفئة الضالة، حتى تتوب. تب إلى الله.. تب.

كان يبدو متعجلًا، يتلفت باستمرار، ويتكلم بلا ثقة وباهتزاز لم يكن ينبغي أن يصدر من رجل أعلن الحرب على السلطة، والأزهري يده على جيبه، حيث سلاحه المخبأ، وأحد حراس الحديقة بزيه الرسمي يقترب، وأحس بمئة إحساس في نفس الوقت.

فجأة اختفيا من أمامي، ابتعلتهما بدايات الليل، ولم تكن لدي أي أسئلة إضافية أو ملاحظات.

لم يسؤني هذه المرة أيضًا، أنني سميت فئة ضالة، ولن يسوؤني في أي يوم إذا ما قيل بأن عشقك ضلال، وهي الخطيئة الوحيدة الناصعة التي يستند عليها ألماني في تصنيفه، وأنا من لمعتها أمام

أذنيه للأسف، وقد بدا لي أشد ضلالًا من الفئات التي يتهمها في إيمانها. ولو كان على حق في تبنيه لفكرة محاربة المجتمع، لما فر ليختبئ في حديقة أسرية معتمة، في حي يتوقع أن لا تنبش السلطة فيه، والآن يفر هو وصاحبه، من رؤيتهما لحارس فقير، بلا سطوة. ليختبئا في حفرة، في مكان آخر، وليس بمستبعد أبدًا، أن يغزوا حي الصهاريج، ويقضيا الليل في خمارة، بإيعاز من فقه الضرورة الذي كنت متأكدًا جدًا، أنهما لا يعرفان عنه شيئًا.

حين أجد ألماني هذا مرة أخرى، لن أسميه «أبو الصاحب»، سأرسمك له بتفاصيل أسخى، وألزمه باستخراج الضلال من تفاصيلك. إن كان يستطيع.

قلت لحارس الحديقة المتجهم الوجه: أنا ذاهب، قبل أن يسألني، وقلت لسائق الأجرة الذي سيقلني إلى وسط المدينة:

- لا تبتئس يا أخ، لأنهم لم يرشحوك رئيسًا لنقابة سائقي عربات الأجرة، فقد أصبح الحسد منتشرًا بين الناس.

ولم ألتفت إليه، لأرى ردة الفعل.

سأعتبر الأمر منتهيًا، إلا إذا جد جديد، وقد اتضح لي بالفعل أن ألماني وجماعته، ضالعون في خطب ما.

امام بيتي، كان كل شيء يبدو عاديًا، مزيرة الماء التي نصبتها أمي منذ سنوات طويلة، بأزيارها الثلاثة، تبدو مطروقة، والماء مراق على جانبها، شتلة الحناء الخضراء التي غرستها، بعد عدة أيام من تعلقي بك، تبدو قد طالت وأخضرت بشدة، صراخ جعفر، وصراخ عفراء، وضحكات فاروق، التي من المفترض أن تكون الآن، ملعلعة في بيتي، لولا تأخري في المجيء، الشيء الوحيد الذي

لـم يكـن عاديًـا، هـو أن جاري الآخر حليمو، كان يمر بالطريق في تلك اللحظة، وآخر مرة شاهدته فيها يمر، كان منذ تسعة أشهر. كان ما لفت نظري، هو أن لحيته قد طالت بشكل مخيف، وبدا شبيهًا بجماعة الورطة التي ربما أكون عالقًا فيها، وقد كان حليمو متزوجًا فيما مضى، من إحدى نساء القبائل المحلية، وهجرته زوجته بسبب بقائه في البحر لأشهر طويلة، وحين تقاعد بعد ذلك، لم أسمع أبدًا بأنه تزوج من جديد. كانت علاقتي به أشبه بعلاقة رجل يسكن في طرف آخر من المدينة، وليس جارًا.

طرقت باب كولمبس برفق، كنت أود أن أرى علامات سلبية أو إيجابيـة علـى وجهـه، إن كان قـد سـأل عني أحد أو لم يسـأل. إن كان أهـل حـي المسـاكن عـدا أليبـرت الحـداد، قـد عرفوا بأمر التكفيرييـن الذيـن كانوا يجتمعون في بيت هنا. ظهر فاروق أخيرًا، كان كما ذكرت من قبل، قد باعد بين محاضرات الحياة في ركنه، ولم تكن يومية، وبالتالي يحق له أن يمشـي في بيته بتلك الصورة التي فتح بها. فقد كان يرتدي ملابس داخلية قذرة.

ابتدأ يضحك بجنون حين شـاهدني، يضحك ويمسـح دموع الضحك، بكم قميصه القذر، كأن وجهي كان نكتة، أو ثمة شيطان غير مرئي، ولا مسموع، يدرب حباله الصوتية، على ضحكة سينال عنها جائزة. ومن داخل البيت المظلم، برغم وجود الكهرباء، كانت عفراء تسأل عن الطارق وكولمبس يخبرها بصوت عال، بأن الباب طرق لوحده، ويضحك.

لا تسـتطيعين أن تخمني حجم غيظي في تلك اللحظات يا أسماء، لقد كنت معتادًا على الغيظ من فاروق، معتادًا على وجود سـخافاته فـي بيتـي ومحيطـي، واسـتطعت بمشـقة، أن أبتكر عالمًا

منعزلًا يخصك، حتى وهو موجود حولي ويضحك، لكن المسألة في تلك اللحظة، كانت مختلفة، ثمة ورطة أردت أن أستوثق من وجودها أو عدمه، والجار اللصيق جدًا، يعرف ذلك بكل تأكيد.

قلت: كفى يا كولمبس، كفى ضحكًا أرجوك. وتوقف عن الضحك، فتح عينيه كأنه يشاهدني لأول مرة، صاح:

-كان هناك جرو وكلب يسألان عنك وأخبرتهما إنك نائم.

ثم عاد إلى الضحك من جديد.

في ذلك الليل المفرط في التفاؤل، الذي قررته لنفسي، وبدأت أدرسه برغم كل شيء، أبعدت ورطة ألماني عن ذهني تمامًا، ألغيتها كأن لم تكن. لم يسأل عني شيطان أمني، لا أثناء غيابي في النهار، ولا بعد عودتي، والجرو والكلب اللذان ذكرهما فاروق، كانا في الواقع، تلميذًا من تلاميذي، ووالده، جاءا لزيارتي بالفعل، يريدان دروسًا خاصة في مادة الكيمياء، لأنهما عادا بعد ذلك ووضحا سبب الزيارة.

لم أكن بالطبع مؤهلًا في تلك الفترة لإعطاء درس، إلا إن كان طلبًا لدرس عشق أو درس عذاب، أو درس أرق طويل، لا ينتهي حتى بعد أن يرحل الليل. أخبرت التلميذ ووالده، بأن الأوان قد فات، وانتبهت إلى إجابتي التي تشبه إجابة من يريد الإقدام على خطر ما، وخفت أن أموت قبل أن أعيش العشق بشكل متكامل، كما أعرف من قصص أسلافي العاشقين. وضحت أكثر، إن التدريس الخاص، لا يستهويني، ولم أقم به منذ عينت مدرسًا، ووعدتهما أن أقوم بإخبارهما في أي وقت أغير فيه رأيي.

أظن أن الأب قد لاحظ زوغان عيني، لاحظ أن بيتي مبعثر

وبلا قيمة منذ أن انقطعت عفراء عن غزوه وترميم عيوبه، وملابسي التي أرتديها وأمارس بها البكاء، كانت ملابس زبال، وأظنه هو من غير رأيه، لأنه نهض، وجملتي الأخيرة على طرف لساني، لم تسقط بعد.

غدًا ستبدأ في المدرسة، لعنة جديدة، حين يصف التلميذ أو الجرو، على حسب تعبير كولمبس، لزملائه، صالة جلس فيها، في بيت معلم، ومات من الرعب أو القرف، لأن صراصير بمختلف الأحجام، أرعبته.. ومؤكد سيخترعون لقبًا سريًا يطلقونه ورائي، وأعرف أنني لقبت بالسعودي، لأن تلميذ الأستوديو العامل في تقطيع الصور، كان مقتنعًا بهجرتي إلى السعودية.

عدد كبير من القرارات، توصلت إليها في ذلك الليل، بعضها مستعينًا بالحاسة المتمكنة، وبعضها عن وعي وإصرار، توصلت إلى معرفة برجك يا أسماء، ومن معلوماتي البسيطة التي أحملها عنك، ودمجته ببرجي، وأحسست بشبه خيبة، لم أسمح لها كالعادة، أن تصبح خيبة كاملة.

كان برجك هو الجدي، ولن أخطئ على الإطلاق، فقد سميت أنثاه، «بسمة الحب»، وأنت حين رأيتك كنت أكثر من بسمة حب. عملت ساعات على ذلك البرج، مستعينًا بكتاب عن التنجيم، اشتريته من مكتبة أهل البلد، يوم غزوي لبيت عبد القادر، ولم أفتحه من قبل أبدًا. بسمة الحب، يا الله، ثم ماذا؟.. أقول لك خواصك كلها: متطلعة جدًا، وعملية جدًا، تحبين الأزرق والأسود والرمادي، جافة بعض الشيء، لكن رقتك، هي الغالبة، تنجذبين بشدة لمواليد برج الثور والعذراء، وتحتاجين لفترات طويلة من التردد، والاستشارة، والتفكير، والقلق لتقبلي واحدًا مثلي، كان

قدره أنه من برج الحمل. تلك ليست مشكلة، ولن تكون مشكلة أبدًا، وقد قلت لك من البداية، إن حبي كان بلا أمل واستمر بلا أمل، لو انتهى بنهايات القصص السعيدة، سأموت فرحة، ولو انتهى كأي حب أصلي، نازف، سأموت أيضًا، وعن اقتناع تام بأنني كنت عاشقًا جديرًا، بتلك الوظيفة.

حوالي العاشرة، وأنا ما زلت منهمكًا في كتاب الأبراج، أتلوى عند برجك، أحاول أن ألجه من عدة نوافذ وأبواب، وسرقة نجمه، لأضيء به ظلام برجي، خيل إلي أن أحدًا ما ينطق باسمي.

في البداية ظننته كولمبس، يحشرني في نقاش طارئ مع عفراء، لكن الصوت لم يكن صوته. خرجت إلى الطريق، ولم يكن ثمة أحد، عدت لأسمع النداء يتردد من جديد.

تلك الساعة فقط، أيقنت بأنني مقبل على مرحلة أخرى من مراحل العشق. المرحلة التي لن أكون فيها عاشقًا فذًا، ولكن عاشقًا بلا مقومات. وهكذا، عملت على أعصابي عدة دقائق، حتى أعدتها إلى وضع الاستقرار، واختفى صوت النداء، لن أكون بلا عقل حين أجدك يا أسماء.

وكالعادة منذ أن صادقت الأرق، وأصبحت أحفظ أصوات الليل كلها، لا تأتي القرارات الهامة، إلا في أشد اللحظات قسوة، اللحظة التي أوشك فيها أن أغفو مودعًا عذابك الجميل، وهكذا جاء القرار الذي كنت أنتظره منذ مدة، ولم يجرؤ على الحضور بين قرارات عدة اتخذتها، وأتخذها في كل يوم: سأترك تعليم الكيمياء إلى الأبد، وسأبدأ حرفة أخرى لا تعوق وصالك، ولا تلزمني بالبقاء أعزل من توهان المحبين. عند تلك النقطة، بدأت في عد الحرف التي قد تلائمني وتلائمك، وأظنني قد عثرت على واحدة.. لماذا

لا أفتتح متجرًا لبيع الشوكلاتة في حي البستان؟.

خلال طوافي في ذلك الحي، شاهدت أنشطة تجارية متنوعة، ولم أشاهد متجرًا للحلويات. أعتقد أنني ضحكت، لسبب بسيط هو أنني لا أملك ما يجعلني حتى تاجر ملابس مستهلكة.

- 12 -

في الصباح الباكر جدًا، وقبل أن تستيقظ تضاريس حي المساكن كاملة، تتناثر في المدينة كلها، غازية لبيوتها وأسواقها وأماكن العمل فيهـا، حُـل لغز البيت الخفي، الـذي كان مقرًا لاجتماعات ألماني، الشيخ " أبو الصاحب" وجماعته، وكان لدهشتي الشديدة، هو بيت القبطي قدسي قرياقوس، صاحب رياض الأطفال، الصهر المستقبلي لموزع الخبر ألبيرت راجي، والذي كان مؤملًا بشدة، أن يلتقط مريا البيضاء من ذوبانها في الشـوارع، ويمنحها المكانة التي تسـتحقها كما تعتقد.

لكن دهشـتي ما لبثت، أن انقشـعت سريعًا، حين وصلت إلى بيت قدسـي ركضًا، يتبعني فاروق كولمبس، وقد نسـي في لحظة اضطرابه، وفضوله الشخصي لمعرفة التفاصيل، أن يضحك من منظر حمار وغد من حمير حي المساكن، كان ينهق بوجدانه، يراود أتان ذابلة، مربوطة في الطريق.

كان بيت المستشمر القبطي مزدحمًا بشدة، كان ثمة فضول في حوشـه الضيق، فضول في صالة البيت الأشـد ضيقًا، فضول حتى على سـقف البيت، وأسـقف البيوت المجاورة، وقد وقف قدسـي نفسـه، في وسـط الحشـد، يرتدي بذلة سـوداء كاملة برغم الحر، ورباط عنق أحمر، وبجانبه مريا المكسرة، تتدلى من أذنيها أقراط طويلة، والصهر المسـتقبلي ألبيرت، وثمة عاملان مسـتأجران كما

يبـدو، يتحركان بصعوبة وسـط الحشـد، يوزعـان الحلوى، وعصير الليمون، على كل الفضوليين، الذين اعتبروا ضيوفًا مكرمين بشدة، في ذلك الصباح.

ماذا حدث في حي المساكن؟

وكيف يحتفي قبطي مثل قدسي، بجماعة اعتبرت ضالة، هي ضده في الأصل؟، ويقدم لها بيته لاجتماعات سرية، وتلك الغرابة فـي أنـه مـا زال طليقًا حتى الآن، وبعيدًا عن السـراديب المظلمة، يتبسـم بأسـنانه كلها، السليمة منها والتي أكلها التبغ، ويلعلع بذلك الصوت الكبير، مرحبًا بالسـادة والسـيدات، الذين شرفوا، ولا أشم رائحـة أذى تتحـاوم مـن حولـه؟، أو ظلال مشـوهة، توشـك على ابتلاعه.

ما هذا؟

الحكايـة فـي غايـة البسـاطة يـا أسـماء. حكاية قـد لا تحدث فـي حـي البسـتان، ولا أي حـي آخـر مشـابه، كثيـرًا، ولكن يمكن أن تحـدث ببسـاطة فـي حي مثل حي المسـاكن، اعتـاد على غرابة الحكايات منذ أنشئ، ويسكنه شعبيون، مروضون على تلقي الغرابة، باعتبارها وجبات عادية، يأتون لالتهامها ساعة الطهو، ثم ما تلبث أن تصبح ذكريات بعد ذلك.

لقـد تعـرف قدسـي بألمانـي وجماعتـه، حيـن زاروا مسـجد الحي عدة مرات، في ما سـموه الدعوة، والخروج في سـبيل الله، وتأكـد بـأن أفكارهم التي اسـتمع إليهـا تلصصًا، وهو يتحاوم حول المسـجد، ويدخل أحيانًا مرتديًا ثيابًا وطنية،وملثم الوجه، حتى لا يلفـت الانتبـاه، يمكـن أن تتطور في أي يوم مـن الأيام، إلى أفكار

قد تضره شخصيًا، وتضر فئته، وكل الفئات الأخرى المعتدلة في المدينة، وربما تضر الوطن كله، بحسب تصوره. وفي ذلك اليوم الذي خرجوا فيه من بيتي، كما عرفت من الرصد الدقيق، الذي ذكره بابتسامة وطنية كبيرة، اعترضهم، وقدم نفسه باعتباره أحد المهتدين الجدد، ويريد أن يعرف عن الدين الجديد أكثر، منحهم صالته الضيقة عن طيب خاطر، يجتمعون فيها متى ما أرادوا، ولم تكن بالبيت امرأة تسمى عورة، منذ رحلت زوجته في حادث طريق. كان يجلس معهم في كثير من الأحيان، ويعمل في السر ببراعة، بعيدًا عن عيون مواطني حي المساكن، كما ذكر، ولم يخبر حتى الحداد وأخته المكسرة الذائبة، لكنه أخبر من يهمهم الأمر، وفي اليوم الذي ذكروا له فيه، بأن بضائع الغرب التي تأتي عبر البحر، بواسطة بحارة لا يتقون الله، وتوزع في المدينة، ويستهلكها الناس بكثافة، حرام لأنها صيغت بأياد نجسة، وتجارة الذهب إثم كبير، لأن الصاغة رجال، يغوون ويستجيبون للغواية، وأمسكوا بطفلته التي كانت في الرابعة من عمرها، غطوها بعباءة كثيفة، لا تظهر حتى العينين، ودعوه بجلافة لإلغاء رياض الأطفال التي يستثمر فيها أمواله، لأنها تضم أطفالًا من الجنسين، وقابلة لاكتشاف العورات مبكرًا، أيقن بأن الدور الوطني الذي جند له نفسه، من دون أن يطلب منه أحد ذلك، قد حان أخيرًا، وسعى لمن يهمهم الأمر، الذين كانوا على مقربة، ويتتبعون في حذر.

ألماني والأزهري، أفلتا من الشرك في اللحظة المناسبة، وبمصادفة بحتة، حين أصيب أحدهما بصداع عنيف، وانسحب، قاصدًا سوق العطارين لمداواته بالأعشاب، ورافقه الآخر، والآخرون سقطوا كما يبدو، ولا بد أنهم أولئك التعساء الذين

شاهدت انكسارهم جليًا، أمام مبنى الأمن الوطني، حين كنت مضعضعًا وبائسًا.

قال ألبيرت الحداد، ورائحة تبغ نفاذة، تنز من أنفاسه، وتساهم في ضيق المكان الضيق أصلًا، ومريا البيضاء، قد تكسرت حتى خلتها ستسقط:

- الرب يباركك يا زعيم.

ورد قدسي على تلك التحية، بأن ردد: الرب قريب منا، ويهدينا لسكك الخير.

ثم ردد نشيدًا كنسيًا بصوت منخفض، وأخرج من خزانة على أحد الحوائط، شهادة من ورق مصقول، مذهبة الحواف سلموها له البارحة، في احتفال خاص، لم يعلن عنه، عرضها على الناس فردًا فردًا، وأعطاها لألبيرت، ليعرضها في الخارج حيث آخرون، منعهم سوء الحظ من التكاثف في بؤرة الحكي، وكان مكتوب عليها: إلى الوطني الشهم قدسي متى قرياقوس. نثمن جهودكم في فضح الخونة.

أيضًا قام الحداد، بإيعاز من صهره المستقبلي، بقراءة نسخة من ورقة صغيرة، مكتوبة بخط اليد، اعتبرت منشورًا، ولا تشبه المناشير، وصادرته الأجهزة الأمنية، بعد أن تركت تلك النسخة الوحيدة تذكارًا للزعيم، كان مكتوب عليها: لا بديل لشرع الله، ماضون في تطبيق الشرع، حتى ننال الشهادة.

لقد ضحكت يا أسماء، أقول لك صراحة بأن جزءًا من ضحكات فاروق غير المحتشمة، تسلل إلى حلقي في تلك اللحظة، برغم عذاباتي كلها، وفاروق نفسه، كان قد سقط على

الأرض، من ضغط الضحك على مصارينه، وسمعت ما ظننته ريحًا وسخة، تخرج من تحته.

كان أكثر ما أدهشني في الأمر، هو أن يسقط متشددون مثل ألماني وجماعته، في فخ نصبه قبطي بدعوى أنه مهتد جديد، من دون أن يتحققوا من هدايته، وإن كان حقًا يشبه اسم (طلاع الثنايا)، الذي منحوه له فورًا، أم لا؟.

لو كان جاري حليمو البحار السابق، هو من نصب الشرك، لما اندهشت، ولحيته الجديدة التي شاهدتها يوم أمس، تلائم الورطة بجدارة، لو كان فاروق كولمبس، لما اندهشت أيضًا، وأعرف أن محاضرات الحياة التي يلقيها في ركنه، تضم محاضرات عدة، يمكن أن تواكب أفكار التطرف، لو عدلت محتوياتها، أو قلبت معانيها بشيء من التركيز، لكن الأمر برمته، كان خارج تصوري، ورضيت به كواقع حدث، ولا يمكن الادعاء بأنه لم يحدث، وكانت أكثر فقرة أعجبتني بالرغم من أنها لم تكن من ضمن فقرات الاحتفال، هي أن لا أحدَ تطرق لذلك الاجتماع الوحيد الذي جرى في بيتي رغمًا عني. كنت أقرأ نظرات خاصة، يوجهها لي قدسي من حين لآخر، أو يقترب مني، يضع يده على كتفي ويبتسم، لكنه لم يقل شيئًا.

تركت الوطني المزعوم، يواصل احتفاله وسط ضيوفه، وتوجهت إلي بيتي. وأسمع صوته الكبير يلعلع سائلًا: ما معنى طلاع الثنايا يا أحبة؟.

سأستحم وأغير ثيابي، وأذهب إلي المدرسة، لا لأدرس تلميذًا ذكيًا أو غبيًا، ولكن لإلغاء نفسي من التعليم إلى الأبد. القرار الذي جاء وكنت أنتظره، لحظة الانفجار التي وعدت نفسي

بها مرارًا، وحان الوقت أن أفي بوعدي.

كان شمس العلا، أو عاصم الجديد، مهمومًا بشدة في ذلك الصباح، لقد حدد موعد زواجه أخيرًا، بعد أن اعتمد اسمه الجديد، لدى عائلة الخطيبة، ولم يكن قد ادخر من راتبه المتخاذل، ما يمكن أن يشرفه أمام أصهار مترفين إلى حد ما. أمه جاءت من قريته في وسط البلاد كما أخبرني، وكانت قروية في اللبس والحكي، وتشتيت النظرات لتمتص كل شيء، واضطر إلى تعديل مظهرها من سوق الإفرنج بوسط المدينة، لكنه لم يستطع تعديل سلوكها، وذهب بها إلى أصهاره الذين تقبلوها بمشقة. كان يمسح حذاءه في توتر ظاهر، ولم يهتم كثيرًا، حين أخبرته بنيتي ترك العمل، وكان يعرف أنني غارق في عشق أكبر من عشقه، لكنه لا يعرف التفاصيل.

سألني والعصبية واضحة في لسانه عن بدائل لحياتي المستقبلية، إذا ما تركت التدريس، ولم أكن أمزح حين قلت له بأنني سأطرق باب التجارة، أوسع أبواب الرزق قاطبة، لم يسألني أي درب من دروب التجارة سأسلكه. أخرج الورنيش اللماع من درجه مرة أخرى، أعاد مسح الحذاء، مرتين، التقط المقص من أمامه، وخلته سيقفز على شاربي المتجهم، ويعدله، لكنه لم يفعل، وأعاد المقص حيث كان.

لو كنت بنفس نكهتي القديمة يا أسماء، مدرس الكيمياء، غير المعدل إلى عاشق، لواسيته كثيرًا، لاخترعت ظلالًا في المواساة، ظللته بها كلها، لكن وضعي الآن أكثر محنة من وضعه. هو يملك الروح الحية، ويقاتل للوصول النهائي إلى هدفه، وأنا أملك الطيف وأقاتل لامتلاك الروح.

خرجنا أنا وهو من غرفتنا، وبنفس المعنويات المنهزمة، هو

إلـى حصتـه التي لا أعرف كيف سيدرسـها اليـوم، وأنا إلى مكتب المدير المسؤول لأشغل يده في توقيع استقالة، كتبتها منذ ليلة أمس، وأتحرق شوقًا لرؤية خربشته التي تسمى توقيعًا، باركة أسفلها.

فـي الأيـام الماضيـة، وفـي الأوقات التي لم أكـن فيها مرتديًا عباءة العشق كاملة، فكرت في بيتي الموروث، في إمكان رهنه لدى أحد المصارف، من أجل رأس مال أتاجر به، ثم عدت واستسخفت الفكرة، أنا أولًا لم أكن أعرف شيئًا عن التجارة، وثانيًا أتوقع بقوة، أن يحظـى ذلـك البيـت، بأدنى نظرة تقييم حين يخضع الأمر لمنح قرض.

فكرت في ذهب أمي الفقير، المحفوظ في خزانة في غرفتها، كما أعرف، وكان الأمر يتطلب خيانة، لا أملكها، من أجل أن أفتح باب غرفتها وأبحث عن الذهب، الذي هو أيضًا لن يجلب الكثير.

فكرت في أشياء، لا ترقى للتفكير فيها، وأحصيت مدخراتي، وكانت كفيلة بإعالتي عدة أشهر، إذا ما عملت موظفًا عندك في إدارة العشق، أتقاضى الراتب المعنوي. فقط علي أن أقلل من النفقات، لا آكل إلا في مطاعم الفقر، أو في بيتي وبأدنى المسـتويات، ولا أركب عربات أجرة يحلم سـائقوها برئاسـة نقابة، تمنيت لو أعرف مزاياها ذات يوم. ولا أنكر أنني فكرت في تسخير عفراء، جارتي، لتعد وجباتي بعد أن تنتهي من عدة النفاس، وحقيقة، لم تكن عفراء بحاجة إلى تسخير، إلا إذا كان وجود جعفر الجديد، سيقيدها إلى تلك الأمومة المزعجة.

قلـت وأنـا أقف أمام طاولة المدير، أراقب يده، تفتح الأدراج تباعًا وتغلقها، كأنها تعزف مقطوعة خاصة:

- صباح الخير سيدي.

ونفس رده حين وقفت أمامه للمرة الأولى، كأنه يصدر من آلة تسجيل:

- من المفترض أن تكون في الفصل في هذه الساعة.

وآلة تسجيلي الخاصة أيضًا ترد، ولكن بشيء من التعديل:

- نعم، ولكني لن أدرس بعد اليوم.

- ماذا؟

هتف المدير، وقد توقفت يده عن فتح الأدراج وإغلاقها، عن عزف المقطوعة النشاز، وارتفعت قليلًا في الهواء، كأنها تحتمي من ردي.

- وماذا ستفعل إذا لم تدرس؟

- حصلت على وظيفة أخرى، عند أسماء.

قلتها وأنا جامد، مهندم اللسان، لا ترتعش أطرافي، ولم يكن على وجهي اصفرار أو آثار حمى، وظنها المدير بنوايا مدراء التعليم الحكومي الكلاسيكيين، وظيفة في مدرسة خاصة، من تلك المدارس التي بدأت تنتشر مؤخرًا في البلاد، وتمنح رواتب أفضل حالًا للمعلمين، ولأنه لم يسمع بمدرسة اسمها أسماء، ولن يسمع بها بمجرد أن أغادر مكتبه، فقد أراد تفاصيل:

- وأين مدرسة أسماء هذه؟

- هنا.. في قلبي.

قلت، ووضعت يدي على صدري.

تغاضى المدير عن تلك الإجابة، غير اللائقة، أو هكذا تظاهر. عاد يسألني، وعيناه قلقتان:

- وهل استشرت رئيس شعبتك في هذا الموضوع؟

- نعم.. استشرت نفسي ووافقت بلا تردد. أنا رئيس الشعبة.

كان ذلك حقيقة يا أسماء، فقد كنت رئيس شعبة الكيمياء التي لا تضم سواي وشمس العلا، بحكم أقدميتي، ولا بد أن المدير يعرف، لكنني شوشت معرفته، بتلك الإطلالات غير البريئة في نظره، واليوم بالذات كنت أطلب استقالتي، وهذا يعني أن يكمل معظم الطلاب، عامهم الدراسي بلا مادة اسمها الكيمياء، لأن شمس العلا مهما كان عبقريًا، وشابًا، ويمكن أن يتمزق في التدريس، لن يستطيع أن يدرس مدرسة كاملة وحده.

في ذلك الصباح، لم يكن المدير بحاجة، لأن يترك مقعده وانشغال يده، ليحوم حول محيطي، يبحث عن الخلل، فقد كان الخلل كبيرًا وواضحًا أمام حواسه كلها.. مدرس يعثر على وظيفة في قلبه. لن يكون ثمة جنون أكثر من هذا قد صادف المدير طوال عمله في سلك التعليم، ولا أظنه صادف مدير التعليم، في المدينة، ووزير التعليم نفسه. أمسك بالقلم، ووقع على استقالتي فورًا، مضحيًا بمعظم طلاب مدرسته، أو لعل ثمة حلًا، تبادر إلى ذهنه في تلك الساعة، واستكمالًا لما يظنه دورًا حيويًا لرجال التعليم في توعية المجتمع، كما تبادر إلى ذهني، قال ويحاول أن يبدو مبتسمًا، وملامحه بعيدة جدًا عن الابتسامة:

-سنفتقدك في المدرسة كثيرًا يا أستاذ.. لكن أنصحك بعرض نفسك على طبيب نفسي.

ثم فجأة، ومن دون أن تصدر مني أي حركة، تنبئ بأنها مشروع إيذاء، شاهدت يده تضغط على جرس الخدمة، المثبت

عـن يمينـه فـي الطاولـة، ثم يصرخ في حمزة الفراش بعد أن جاء خبًا، أن يرافقني إلى خارج المكتب بسرعة.

لم أكن لأسمح لحمزة الذي يدلق القهوة على الطاولة ودفاتر التحضيـر، فـي كل مـرة يحضرها، أن يبدو فتـوة أو (بودي جارد)، على حسابي، ولا كان في نيتي إيذاء أحد حقيقة، ولم أكن مجنونًا كمـا تعرفيـن، ومن ثم استدرت وأنا أنحي الفـراش جانبًا، وأنطلق لأسلم استقالتي الموقعة، لقسم الحسابات من أجل تسوية معاشي واستحقاقاتي كمعلم نظيف، خدم لأكثر من خمسة عشر عامًا، وما يزال بالكاد يأكل..

لـم تكـن متعلقاتـي الشـخصية فـي المكتـب الذي نشـغله أنا وشـمس العـلا، كثيـرة، بالأصـح، لم تكن لـدي أي متعلقات على الإطلاق، وتلك الأقلام المبعثرة على الطاولة، والدفاتر والأوراق، وإلبـوم الصـور المخبـأ فـي الـدرج ويشـتمل علـى صـور حفلات التخريج السنوية التي تقيمها المدرسة، لم تكن متعلقات، ويمكنني بكل سـهولة أن أتجاهل وجودها، أو اسـتدعي الفراش، ليلقيها في أي مزبلة.

انتهيت أخيرًا من مسألة التعليم يا أسماء، انتهيت ويا لسعادتي. لن أحضّر بعد اليوم، دروسًـا خائبة، لن أصنع من الأكسـجين، ماء علـى الـورق، ولا مـن الكربـون، سـمًا قاتلًا، ولن أجلـس أبله في معـرض بدائـي، ينظـم بـلا معنـى في كل عـام، أشـرح للمتبطلين، وصعاليك الشوارع، والنساء المتبرجات، خواص تلك القنبلة التي سـقطت ذات يوم على هيروشـيما اليابانية. أنا الآن موظف عندك، راتبـي المعنـوي كعاشـق معذب، يكفيني، ومـا اعتزمت اقترافه في حـي البسـتان، وكنـت جـادًا للغايـة، لم يكن الغـرض منه أي ربح

مـادي، فقـط هـي سـنارة صيـد منقحة لاصطياد وجهـك إن أطل، وللاستمرار في تثبيتك بحاستي المتمكنة، إن لم أعثر عليك.

أعرف أن الأمر، أعني مسألة تركي المدرسة بهذه الطريقة، لن تمضي على خير، أعرف ماذا سيقال من خلفي، وعدد المصحات الطبيـة التـي سـتقترح لإيوائـي ومـن من أطبـاء النفس فـي المدينة والعاصمـة، قـادر علـى طبي، وأعرف أن الفراش حمزة، سـيتدخل ببدائية، في نقاشات قد يجدها دائرة في المدرسة، ليقترح دجالًا من دجالي الأحياء البعيدة، يشـفي المرضى، ويمكنه أن يعرض حالتي عليـه. سيتسـاءل الكثيـرون: مـن هي أسـماء التي توظفـت عندها، وسـيرد المدير بتلقائية شـديدة، إنها في قلبه، قد يضحك البعض، قـد يبكـي الذين أخلصت لهم وأخلصوا لي طوال سـنوات طويلة، وقد يسـعى نفر من زملائي المعلمين إلى بيتي في حي المسـاكن، ليسألوا عن الخطب.

هل أنت خطب يا أسماء؟

لا.. لا.. لن أسـمح لأحد أن يسـميك خطبًا أبدًا، وسـأتصدى لكل الألسنة التي قد تتبعني لاصطياد القصة، من أجل استثمارها في نقد التعليم الحكومي الذي دائمًا ما يوصف بالتدني.

خرجـت مـن المدرسـة، لا أتلفـت، ولا أحـس بأن الكشـك الصغير المغروس في الوسـط، والذي طالما تناولت فطوري من إعـداده، سيشـكل مـادة فقـد أو حنين، لا، ولا مكتبـي أو طاولتي، ولا أدمغة التلاميذ، ولا شـجرة النيم الوارفة، التي غرسـتها بيدي، في طرف الحوش، منذ أكثر من خمسـة عشـر عامًا. وحده شـمس العلا من أريده أن يسـألني، أن يراني من حين لآخر، وأن يسمع قصتي كاملة كما سمعت قصته، يفهمني كما فهمته. وأظنني أعرف

أنه لن يتركني، لأني تركت المدرسة.

أمام الباب رفعت رأسي، قرأت اللافتة الصدئة التي تساقطت بعض النقاط من حروفها: مدرسة المستقبل المتوسطة للبنين، وبدت لي غريبة عني تمامًا، كأني لم أرها من قبل، ومر باص متعجل في الطريق، لمحت على ظهره كلمة أسماء، وكانت مفارقة قاتلة، أنني أحسست بانتماء حقيقي لذلك الباص المتعجل.

ابتعدت بخطوات، لن أطلق عليها: خطوات واثقة، ولن أقول بأنها لم تكن واثقة، نوع من تلك الخطوات التي تحتمل الإقدام، وتحتمل التردد معًا. وجهتي الجميلة، اللذيذة الطاعمة، تعرفينها جيدًا، ويعرفها كثير من سائقي عربات الأجرة الذين لم يرشحهم زملاؤهم لرئاسة النقابة بسبب الحسد، إنها حي البستان بالطبع، ووجهتي التي لا بد أن أتجه إليها الآن، لم أحبها وكنت مضطرًا لها. سأذهب إلى بنك «المدخرات» الوطني، حيث يعمل قريبي عبد القادر، موظفًا في قسم القروض.، ليس لدي حيلة أخرى، سوى رهن بيتي، مهما كان تقييمه، تلك الفكرة التي طرأت علي من قبل، واستسخفتها. سخيفة بالفعل، لكنها جديرة بأن أتبعها.

في جلسة سابقة مع عبد القادر، ربما قبل أربع أو خمس سنوات، دعاني هو لترك التعليم غير المجدي، ودخول عالم الاستثمار، وسيعمل شريكًا سريًا معي. يوفر لي القرض، ويدير استثمارنا من خلف ستار، لا يمكن الإبصار عبره. كان يريد أن يثرى بأي طريقة، ويعرف أن قوانين مصرفه، تمنع ذلك الطموح بشدة، ولو عثر على غطاء غشيم مثلي، ستسير الأمور على ما يرام، وبالطبع رفضت عرضه بشدة، واليوم أحس بأنني بحاجة لعرض جديد.

لم أكن واثقًا بالطبع، بأنني سأحصل على قرض، من رهن بيتي كما ذكرت من قبل، ولا أعرف ردة الفعل التي قد تحدث عند عبد القادر، حين يرى وجهي أمامه، ولم أكن من الذين تقاطروا لزيارة أخته المراهقة المسكينة، في المستشفى، بعد أن سعت للموت بصبغة الشعر، كما سمعت، لكنها لم تمت، وخرجت من المستشفى إلى حياتها التعسة مجددًا. كنت خجلًا من مواجهة أهلها، حين فرت إلى بيت حلاق أعزب، وظللت خجلًا، حتى لم يعد بإمكاني أن أسأل. وقد أخبرني قريب آخر، صادفته مرة في السوق، بأنه ذهب وشاهدها، وكاد يبصق على وجهها، حتى وهي في حالة حرجة. وأضاف بأنه كان سيسقيها صبغة الشعر بنفسه، لو كانت ابنته.

أنا الذي صنعت ردة فعلي كأني عبد القادر، أو كأني أمه، في تلك اللحظة، صرخت في وجه الرجل، وطردته من صلتي نهائيًا، ولن أقرئه حتى السلام، إذا ما صادفته مرة أخرى.

ليس من العدل أن تموت فتاة لأنها أحبت، أو اختارت رجلها وفرت معه، وليس من العدل أن أوصف فاجرًا أو ضالًا بلغة ألماني- « أبو الصاحب»، لأني أحبك.

عند باب البنك، كان شلال المجنون، الذي يعرفه أهل المدينة كلهم، وتعرفينه بلا شك، يغني ويرقص بما يظنه استعراضًا أوبراليًا حقيقيًا، وقليل من المارة، يتوقفون لمشاهدته، ذلك أن شلال لم يعد جديدًا، ولم يعد ذا طعم يغري الطريق باستنشاقه. وعلى مقربة من المكان، كان ثمة طعم آخر، هو الذي شد الطريق بتمكن، إنه سليمان القزم، الذي لا يتعدى طوله مترًا واحدًا، وقد كان من أبناء المدينة، وهاجر إلى العاصمة، ليصبح واحدًا من أبطال

السيرك الوطني، لكنه يأتي من حين لآخر.

كان يتقافز في فقرة السيرك برشاقة، ويلقي بالنكات، وتعشقه فتاة جميلة، يؤديان معًا رقصة خالدة. وكان في تلك اللحظة، محاطًا بحشـود غيـر عاديـة، يوقع لهم على بطاقات صفـراء، يخرجها من جيبه.

عثرت على عبد القادر، يجلس على طاولة صغيرة، في وسط الصالة العريضة للبنك، والتي جلس على امتداها موظفون آخرون، كل ينحني، يتفحص أوراقًا أمامه، أو يوقعها، أو يمزق ورقة يلقيها على سلة.

ناديتـه مـن خلـف الزجـاج العازل، فلم يسـمعني، ناديته بعد أن تحـرك مـن مكانـه، وتجـول قليلًا في الصالـة، وانتزع ورقة من جهـاز فاكـس، وسـقطت عينـاه علـى الصالة الخارجيـة حيث أقف بجانب عدد من المراجعين، ولم ينتبه أيضًا. ظللت حوالي الساعة أتتبع نشـاطه وخموله، انشـغاله وعدم انشغاله، وحين يجلس ممدد الركبتيـن، يشـرب شـايًا، وحيـن نهـض أخيرًا واقترب مـن الحاجز الزجاجـي، حيـث الصـراف، ليلتقـط بعـض الأوراق المصرفيـة، لمحنـي، وأشـار إلـي أن أدخـل من باب صغير، فـي آخر الصالة. لقـد نجحـت أخيـرًا وتنهدت، وكنت في غايـة الكآبة، أنني أضعت ساعة كاملة، كان يمكنني فيها أن أعيش في حبك، أو على الأقل، كنت قد وصلت حي البستان، وبدأت النبش، كما أفعل عادة.

حيـن جلسـت أمامـه، بدا لي أنني أجلـس أمام والده الراحل، فقـد كان النسـخة الشـابة منـه، لكنه كبر فجأة في تلـك الأيام التي لم أره فيها، وأعني من يوم أن أقلقت شهر عسله، وأنا أبحث عن الصـور، والآن قـد انتهـى العسـل، ولا بد أن ما حـدث لأخته، قد

تـرك تلـك الظلال الكثيفة حول عينيه، وأنبت ذلك الشـعر الأبيض في رأسه. أظنه يحترمني، يحترمني بشدة، وأكاد أجزم بأنني الوحيد من أقاربه، الذي كان بلا أنف، جاء ليشم به سقطة العائلة.

لم أسأله عن أي شيء لا حاله ولا حال زوجته، وأخته، ولا سألت ذلك السؤال التقليدي المقرف الذي يُسأل عنه كل زوجين أتما فترة لا بأس بها من عمر الزواج: هل أصبحتم ثلاثة؟

- تفضل يا أستاذ.

كان يطلـب مدخـلًا، ومنحتـه المدخـل بـلا أي مزاليج تعوق ولوجه. حدثته عن استقالتي بسبب عدم القدرة على الحياة، براتب لا يتقاضاه حتى المتسولون. بدليل أنني لم أتزوج حتى الآن، عن حاجتي لقرض، أدبر به مشروعًا صغيرًا، وأسدد فوائده، من الدخل الـذي ينتـج، ولـم أقصـده، إلا لثقتي الكبيـرة، أنني أقصد رجلًا لن يردني.

بدا لي أن عبد القادر سـيضحك، التهبت الضحكة في حلقه، وسمعت بدايات قرقرتها، لكنها لم تخرج، أكيد أن الهم الشخصي الذي يحمله، أعاق خروجها.

- هل تطلب قرضًا مني شخصيًا أم من البنك؟

كان يسألني.

- من البنك طبعًا.

- ولماذا رفضت حين عرضت عليك الأمر قبل عدة سنوات؟

لقد أعمل ذاكرته في جحودي، وأنني كنت خسيسًا، وساهمت بجـدارة، فـي إجهـاض طموحه، وأظنه لم يعثـر على بديل لي منذ ذلك الحين، لأنني لم أسمع به قد اغتنى في يوم من الأيام. كانت

حياته عادية، وحتى الآن لا يمتلك عربة، وذلك البيت الصغير الذي استأجره في وسط المدينة، لم يكن بيت رجل يملك غير راتبه. لقد بررت له الأمر، في تلك الأيام بأنني خلقت معلمًا في المدارس، وسأظل معلمًا فيها حتى أموت، وللأسف فإن ذلك لم يحدث، وأكيد يحتاج إلى مبرر آخر في تلك اللحظة، وقلت محاولًا أن أجعله مبررًا يعتمد عليه:

- كانت الحياة أفضل، وكنت أحب التعليم، والآن تغير الوضع كما أخبرتك.

- تغير الوضع.

قال وهو يحك رأسه، وأنتظر في لهفة.

وفي تطور مباغت، أو تحريف مباغت لمسار الأعمال المصرفية التي بدأنا بمناقشتها، سألني فجأة:

- هل عثرت على أسماء التي كنت تبحث عنها؟

بوغت يا أسماء، بوغت حقيقة، وشاهدت بخيالي تلك الطرق الطويلة التي مشيتها، وليالي الأرق التي تعذبت بها، تتضاحك بعنف.

لم ينس ذلك القريب بأنني ارتعشت أمام بابه ذات يوم، وتهشمت، أبحث عن صورة لك. والآن وجدت نفسي بلا لسان يرد. وأسمعه يضاعف السؤال:

-صحيح يا أستاذ.. من هي أسماء تلك؟، ولماذا كنت منفعلًا، وتالف الأعصاب وأنت تسأل عنها؟، لم أسألك في ذلك اليوم حتى لا أحرجك أمام زوجتي، كان سلوكك غريبًا بحق.

لو أخبرته بما حدث من يوم حفل عرسه، وما يحدث حتى هذه اللحظة، وقد مضت أكثر من ثلاثة أشهر حتى الآن، لأمسكني

مـن يـدي، وجرنـي بنفســه، إلى أقـرب مشـفى، يقبل بإيـواء فقراء المجانيـن، ولـو كذبت عليـه، حرفت القصة، واخترعت لك تعريفًا آخر، غير معشوقتي التي سأموت من أجلها، سأكون خائنًا لحبك، ووغدًا يستحق أن يعلق من قدميه ويسلخ، ولو جمدت في جلستي تلـك بـلا حراك، وجمدت لسـاني، لربما ترك سـؤاله، ومضاعفات سؤاله وعاد إلى سيرة القرض مرة أخرى.

كنت أتصارع في داخلي وأنا أبحث عن حل وسط، لا يلوي نزاهتي، ولا يدرجني بائسًـا يسـتحق العطف. تنحنحت لأرد، ولم يكن الرد قد تجمع في ذهني بعد، ولكن من حسن حظي، أن جاء أحد الفراشين راكضًا، ليخبر قريبي بأن المدير يطلبه. أشار لي أن أنتظر، وذهب وما أزال أنحت مفردات الدنيا كلها، أبحث عن قصة مشروعة، لا تشوهك، حتى إذا ما عاد وأعاد سؤاله، تصديت له.

- 13 -

الأمنيون في حي المساكن يا أسماء.

الأمنيون في بيتي وبيت فاروق كولمبس، وحليمو، وأي بيت آخر تتخيلين تضاريسه في ذلك الحي الشعبي المسكين، وحكيم الدرل، رجل النوايا السيئة، والمهام الصعبة، الذي شكلت واحدة من مهامه، أيام اختفاء أخي بخاري، وخرجت بلا معنويات، متوفر بنفسه، ويشرف على تلك المهمة الغريبة حقًا، في حينا.

لا.. لا تنزعجي يا أسماء، فليست مهمة إضافة جديدة للشقاء، ولا حذف من بهجة الدنيا، كما قد تتصورين، ولكنها مهمة ترفيهية بحتة، لم تكن بحاجة لكل ذلك الاستنفار. وكل تلك النرفزات، والأصوات الصائحة، والأسلحة، وأجهزة الراديو، وغيرها من متطلبات المهام الوطنية العنيفة.

كان الأمنيون منتشرين بغزارة، وقد ارتدوا ملابس عشوائية، تشبه أي ملابس يرتديها أي شخص. يجمعون الناس، يحشرونهم في عربات كبيرة، من نوع (تاتا) الهندية، بلا لون محدد، ولا لوحات مرورية، ويذهبون بهم إلى حيث سيقام حفل العرس البهيج، عرس المستثمر الوطني قدسي قرياقوس، على مريا البيضاء، أخت أليبرت الحداد، وكان للمصادفة الغريبة، ستجرى مراسمه في النادي الطلياني، حيث التقيتك ذات خميس، ودخلتني ولم تخرجي مني أبدًا بعد ذلك. لم تكن ثمة بطاقات أنيقة للدعوة

قد وزعت، كما هو مفترض، وكانت تلك البطاقات الغريبة، أيدي الأمنيين التي تذهب بالناس للعرس.

لم أحصل على القرض، من عند قريبي عبد القادر، في ذلك اليوم الذي ذهبت فيه إلى مصرفه، كما كنت آمل، وأوشك أن يوقع بي باستسفاره عنك. وكنت في مرحلة دسك في قلبي ما أزال، ليس لأنك خطيئة أو عيبًا بالطبع، وتعرفين ذلك جيدًا، إنما كان ذلك ضرورة، من ضرورات مرحلة العشق التي أعيشها في تلك الأيام، وأردت بأنانية مفرطة، أن أبقي العشق بداخلي، لي وحدي، وكوني صرحت باسمك أمام مدير المدرسة، صاحب اليد المنشغلة، وأنا أنتظر توقيعه على استقالتي، فلن يحدث شيء على الإطلاق، ولن يعرف أحد أنني كنت أصرح باسم كوكب مضيء، سيعتبر الأمر جنونًا، بلا أي تفسير آخر. عبد القادر يختلف، يختلف كثيرًا، لأنني قصدته شخصيًا ذات يوم، وسألت عنك بمنتهى الصراحة المرتبكة.

في ذلك اليوم الذي جلست فيه، معه في البنك، لم يكن ضدي في مسألة القرض على الإطلاق، وكان مستعدًا لتيسيره، ومنحي إياه في أقصر وقت ممكن وكان على استعداد لتقييم بيتي بأكثر مما يستحق، من أجل ذلك. ما أعاق المشروع، وألغاه تمامًا، سبب لم أنتبه إليه من قبل، وانتبه إليه قريبي، لأن جزءًا من تخصصه، أن ينتبه إلى أخطاء المعاملات ويصححها، وهو أن بيتي لم يكن بيتي الخالص حقيقة، كان بيتًا موروثًا، وأحد طرفي الورثة، أعني أخي بخاري، ما زال مفقودًا، بلا أي دليل يصنفه ميتًا تصح وراثته.

أقول لك الحق، أنني لم أحزن أبدًا لخسارة القرض،

وسأفعل أي شيء آخر، لأقيم قريبًا منك في حي البستان، الشيء الذي أحزنني هو أنني تذكرت بخاري فجأة، تذكرت أن لي أخًا تسرب من أمامي بغتة، ولم أسع إلى تسقط فراره، ومحاولة إعادته إلى حياتي، بصورة جادة. لم أسافر خارج المدينة، كما كان ينبغي علي أن أفعل، لم أرسل خطابات استغاثة وترحم إلى السلطة التي طاردته، كي تعفو عنه وتعيده بوسائلها الخاصة، وفي إحدى المرات، التقيت بأحد أصدقائه البعثيين، وكان قد انحنى للسلطة حتى لامس فجوره الأرض، مزق أوراق انتمائه السابق كلها، ووقف في عدد من جلسات المحاكمة التي أقيمت لإدانة زملائه الذين سقطوا ولم يكتمل فرارهم كبخاري، وقف ليشهد ضدهم، وضد الأفكار التي يحملونها، وتحدث عن رغبته في تأليف كتاب يضم فضائح ذلك التنظيم الرهيب. قال لي بأن أخي، ليس مناضلًا على الإطلاق، هو سخل ليس إلا وعلي أن أخبره حين أعثر عليه، بأن ينظف جلده من تلك القذارات.

غضبت وكان لا بد أن أغضب، لم أكن من عشاق أفكار حزب البعث بأي حال من الأحوال، ولم أكن أعرف أصلًا أن أخي بعثي، وأنا أعيش معه حياة الإخوة المعتادة، وبالرغم من ذلك غضبت. جاءتني رغبة عنيفة، أن أبصق على وجهه، وقمعتها في آخر لحظة، ذلك حين تذكرت الدهاليز المظلمة، وتذكرت حكيم الدرل وغيره من عاجني خبز الضرر، في ذلك الظلام القاحل. ذهبت عنه، وما زلت أغلي في داخلي، وبحثت في غرفتي، حيث أعرف أن ثمة صورة تجمعه ببخاري وآخرين، في حفل خاص، وكنت أظنها صورة بريئة. لم أمزقها، فقط طمست عينيه اللتين كانتا تضحكان في الصورة.

على نقيض آخر، كان «فيصل خريف»، زميلًا آخر من بعثيي بخاري. وكان أكثر شجاعة، ذلك أنه انتظر في بيت أسرته حتى جاءه الغزو، وسلم يديه لحكيم الدرل، طائعًا، وقضى خمس سنوات كاملة في السجن، قبل أن يخرج في عفو رئاسي، صدر بمناسبة أحد الأعياد. التقيته مصادفة أيضًا قبل عامين، وعرض علي بإصرار، أن يساعدني في البحث عن بخاري وتسقط أخباره، لكنه للأسف، كان مجرد سجين سابق، موضوعًا تحت المراقبة الصارمة، ولا يحق له حتى أن يحك رأسه، أو يحف شاربه، من دون أن يسجل متابعوه، أنه حك رأسه، وحف شاربه.

لقد ذهبت إلى حيكم، حي البستان يا أسماء. عدة أيام وأنا أذهب، وأعود ولا يفر مني الأمل، وفي أحد الأيام، وجدت البيت الذي كان معروضًا للبيع مفتوحًا، نصف فتحة، أسرعت لطرقه وأنا ألهث، وانفتح كاملًا لدهشتي الشديدة. ولم أكن مستعدًا بعد، لأبرر طرقي في صباح مبكر كالذي ذهبت فيه. فتحت لي امرأة ناعمة وشديدة الملاحة، ترتدي قميصًا بيتيًا نظيفًا، وتضع على شعرها عددًا من الرولات المعروفة في تصفيف الشعر، والتي أزعم أنها لم توضع على شعر امرأة في حي المساكن بعد.

لم تتلكأ المرأة كثيرًا في وجهي ولم تقيم ثيابي وعطري، ورائحة النشاز في جلدي، أو تظن بأنني سباك أو بستاني يبحث عن عمل. سألتني مباشرة مستخدمة لقب سيدي، إن كان بإمكانها أن تخدمني في شيء. وباستثارة من ذلك اللطف الكبير، خرجت من حلقي عبارات التبرير سلسة، قلت:

-آسف للإزعاج يا سيدتي، أخبرني بعض الأصدقاء بأن هذا البيت معروض للبيع، وأتيت لهذا السبب.

- كان معروضًا للبيع، هذا صحيح، واشتريناه نحن.

ردت، وألمح طفلًا غزير الشعر، يطل برأسه عبر الباب، ويختفي. قلت بلا وعي:

- آه.. مبروك.. ولكن من هي صاحبته؟

هذا هو السؤال الذي سيربك السيدة الناعمة المليحة، قليلًا، وفي مجتمع تسيطر عليه الذكورة بشدة، كان لا بد أن أسأل عن صاحب البيت، وليس صاحبته، حتى لو كانت امرأة بالفعل. أظنها ذكية أيضًا، وتشبه إلى حد ما، نساء الاتحاد الاشتراكي الفخمات، ذلك التنظيم الذي أوجدته السلطة الحاكمة، أخلت له جميع مقاعد التسلط، ليجلس عليها وحده، وتوشك أن تعممه على الناس في أحلامهم.

- آسفة يا سيد.. اشتريناه من شخص يعمل خارج البلاد. وقد غادر بعد أن تم البيع، اسمه صالح عبد الله. هل تعرفه؟

- لا..

قلت للمرأة، وأعطيتها ظهري من دون أن أشكرها حتى على الوقوف على عتبة بيتها عدة دقائق، ومناقشة واحد مثلي، لا يشبه ساكنًا محتملًا لحي البستان، ومشيت في الطريق أفكر بعنف، وتبدو لي الحياة ثقبًا ضيقًا إلى أبعد حد. حتى المفتاح الذي كان من المفترض أن يدور في معضلتي العصية، ويمكن أن يفتحها، اختفى يا أسماء.. اشتروا البيت من رجل يعمل خارج البلاد، وأنا شاهدته ربما قبل أن يشاهدوه، والتقيت امرأة تعرفك، وبحثت عنك مثلي في ليلة العرس، حين اختفيت فجأة، وكانت تملك، وتدير التفاوض، وتستحثني أن أسرع إن كنت أريد الشراء، لأن كثيرين

سألوا.

كان من غير المنطقي، بل من العبط الكبير أن أسأل المرأة المليحة، هل هذا المغترب متزوج؟ من هي زوجته؟، وهل تقيم هنا أم معه بالخارج؟.

هذه ليست أسئلة بمقاييس الأسئلة التي فصلت للاستفهام، في هذه المواقف، وبالنسبة للقلب المحب الواجف، أعظم أسئلة، فقط تحتاج إلى من يمنحها مساحة من التسامح، كي تخرج من الأعماق.

من بعيد شاهدت ألبيرت راجي الحداد، يتحاوم بعربته المكشوفة القديمة، وقد انحنت من تحميلها بأبواب ونوافذ من الحديد، والألمونيوم، واختبأت داخل بيت تحت الإنشاء حتى لا يلمحني، عدت لأتسكع أمام الخياط النسائي من بعيد، حتى لا أثير ريبته، أو ريبة مساعدته الصغيرة الحجم، إن صادف وخرج أحدهما لأي سبب، وأرى عددًا من الخامات الناعمة، تدخل وتخرج، وتهمس وتضحك، وأشتهي لو نطقت واحدة باسمك، مجرد نطق، حتى أجند حواسي لالتقاطه، وربما أتبعها إلى حيث يمكن أن أعثر على شيء.

أنا الآن حر تمامًا، حر في الحركة، في التلصص، في سرقة الفرح من أي جهة تتركه بلا رقابة، ولا وجود لتلميذ أدرسه، كي يصادفني ويعوق تنفسي، ولا أب منزعج بأدائي، يباغتني فجأة، ويذكرني أنني أنتمي لمدرسة فيها ابنه، ولو أردت البكاء حتى في الشارع العام، سأبكي.

بهذه الفلسفة الجديدة، المبهجة، رددت على زملائي

المعلميـن الذيـن تجمعـوا، وغزوا بيتي لأول مرة، يوم أن اسـتقلت وغادرت التعليم بلا رجعة، قلت لهم بأنني أملك قناعتي، وسأظل أملكهـا حتـى أمـوت، ولم يجرؤ أحدهم على الاستفسـار عن تلك الأسماء التي في القلب، وسأعمل عندها، ذهبوا، وأكرمتهم كرمًا، لا يمكن أن يحدث في بيت مجنون، وكان الجنون، هو تلك هي الفكـرة التـي قدمـوا بها إلـي، كما أخبرتني حاسـتي المتمكنة، وما شـممته بسـهولة من السلوك القلق لبعضهم، وأنهم كانوا يتحدثون، وأعينهـم تتقافـز فـي المكان بلا ثبـات. وودعتهم حتى باب البيت، لأعثـر علـى حمـزة الفراش يتلكأ أمام البـاب، وأعرف أن في ذهنه دجالًا شعبيًا، قد يعيدني إلى الوعي، كما يظن، ويخاف أن يواجهني بـه. لـم يكـن شـمس العلا من بين تلك الحملـة الغازية، لكنه جاء وحده في آخر المساء، ولم يجلس كثيرًا، فقط عدة دقائق، لم تسمح له حتى بتلميع حذائه جيدًا، ولم استطع أن أحكي له قصتك كاملة، بعض مقاطع رددتها، وأشك بأنها دخلت أذنيه.

انتبهت وأنا أمشي في الطريق، بعد أن شبعت من الكآبة بالقرب من الخياط النسائي، إلى أن أحدهم يتبعني. لم أجرؤ على الالتفات مخافـة أن يكـون أذى سـلطه أهـل حي البسـتان لملاحقتي بعد أن تـرددت علـى الحي كثيـرًا، وأصبح وجهـي مألوفًا حتـى للأطفال الصغـار، والخادمـات الإثيوبيـات اللائـي يتبعنهـم، وغازلتنـي مرة إحداهـن، ولـم أفهـم لغتها الراطنة، ولا لغـة عينيها، وفررت. أيضًا خفت بشـدة أن يكون الوطني المزعوم قدسـي قرياقوس، قد غير أقوالـه، وأدرج بيتـي، مـن ضمن آليـات الخيانة التي جرت وقائعها في حي المساكن، وأصبحت واحدة من مهام حكيم الدرل العاجلة. وأطل في ذاكرتي وجه ألماني المذعور، ولم أستطع حذفه. خفت

بشدة يا أسماء، ولكن بالرغم من ذلك، لم تنقشع كآبتي الأخاذة بسبب الخوف، ظللت ممسكًا بالخوف وبالكآبة في نفس الوقت، وأجد في السير وأوشك أن أركض، ثم لأسمع صوتًا شبه مألوف يناديني: يا أستاذ.. وأتوقف.

أقول لك الحق، وأظنها شهادة رائعة في حق عشقي لك, أنه غطى الذهن، حتى لم تعد ثمة مساحة فارغة لاستيعاب غيره من الحوادث، ولذلك لم يكن مستبعدًا أبدًا، أن تُقال وزارة تاجر العملة العاصمي، بقرار جمهوري مفاجئ، ويُسَّرح وزراؤها، ولا أسمع بذلك، أن يفقد ابن حيي السابق، طلحة رضوان، منصبه، ويأتي مواطنًا عاديًا، ليقيم في حي البستان، ولا أسمع. الحقيقة أنني استغربت بشدة حين أخبرني، وهو يشد على يدي، بيد ناعمة، خلتها ستجرح من عناق أصابعي الخشنة، واستغربت أكثر، أن كولمبس، جاري اللصيق، أو أحدًا غيره في حي المساكن، لم يخبرني، وبديهي أنهم يعرفون، وكم من مرة سمعت حكايات رائجة عن الوزير طلحة، لا أستطيع أن أجزم بصحتها أو عدم صحتها، توزع في الحي، ويأكلها السكان مثل الخبز. ولأن لقب سعادتك، لقب دائم لكل من تذوق لحم الوزارات، حتى لو كان ذلك عدة أيام أو أشهر، فقط، فقد استخدمته بشدة، وأنا أشد على اليد الناعمة، وأتأمل وجه رجل، كان على حق، حين تنفض من معرفة أمونة، وقاذورات حي المساكن كلها، حين دلقناها على مزاجه ذات يوم. وقد كان يسكن في حي متوسط، بعد أن اشتغل بتجارة العملة، والآن يسكن في حي البستان، ومررت بباب بيته من دون أن أدري، وحتى لو كنت أدري، ما كنت سأطرق بابه على الإطلاق. ما حيرني أكثر، وأنا أدخل صالونه الأنيق، وأشم

عطـر البسـتان لأول مـرة، مـن داخـل إحـدى رياضه، هو سـبب اهتمامـه بـي، وملاحقتـي في الطريق، ودعوتـي بإصرار أن أدخل بيتـه. صحيـح أننـا نشـأنا معًا في نفس الحي، لكـن الهوة الطبقية بيننا، اتسـعت بجدارة، ولن يعود بالإمكان أن نقترب من بعضنا أبدًا.

وأنا أتجول بعيني في اللوحات المعلقة، والصور الشـخصية لمئـات الاحتفـالات، والمؤتمـرات، وشـوارع أوروبـا، ومعالمهـا، وضحـكات سـعادته أمـام كنيسـة مـار بطـرس، في رومـا، وداخل متحف التاريخ الطبيعي في لوكسمبورج، خطر لي هاجس أزعجني بشدة، أن أرى صورتك وسطها، بوصفك زوجته، أو أخت زوجته، أو صديقة للعائلة، لكن ذلك لم يحدث لحسن الحظ.

أول مفاجـأة تلقيتهـا مـن السـيد الوزيـر، في سلسـلة مفاجآته الهامة، والمدهشة في ذلك الصباح، هي أن باغتني بسؤال هامس، وهـو يقـدم لي عصير البرتقال بنفسـه، في كـوب من زجاج، لم أرَ مثله، أو أسمع به من قبل:

- صحيح يا أستاذ..هل عادت أمونة إلى المدينة مرة أخرى، بعد أن تزوجت وسافرت؟

- أمونة؟.. من أمونة سعادتك؟

كنـت أسـأل حقيقـة، وقد طارت ثوابت كثيـرة من ذهني، من بينهـا أن ثمـة فتـاة كان اسـمها أمونـة، أحبهـا رجـل كان مـن حي المسـاكن، منذ أكثر من عشـرين عامًا، وخرج منه، واغتنى، واختير وزيرًا، وأعفي من منصبه، واقترب من الخمسين، وما زالت ترعى في ذاكرته، بالرغم من أنه أنكرها أمام وفدنا البائس في أحد الأيام.

أمونة؟

والوزير يرد بصوت ازداد همسًا، وقد جلس بجانبي على كنبة واسعة، ضمتنا نحن الاثنين بلا تذمر:

- أمونة عوض السيد يا أخي. كانت فتاة رائعة.

- لا أعتقد سعادتك، لم أسمع أنها جاءت مرة أخرى.

أجبته، وأنا لست مستغربًا أبدًا، ولكن في قمة السعادة.

هل تدرين ما معنى ذلك يا أسماء؟

لقد بين ذلك السؤال، وتلك الرعشة التي شاهدتها جلية، تتراقص في شفتي الوزير، وتسري في همسته، أن لا أحدَ ينسى حبه الأول، حتى لو كان حبًا مهلهلًا، مسكينًا، نبت في حي، لا تنبت فيه الزهور إلا نادرًا، وقد أحب سعادته نبتة حجرية، كان يمكن أن يركلها بجبل من النسيان، بعد أن تغيرت ظروفه، وأصبح من الممكن جدًا، أن يحب نجمة في السماء، وتتدلى استجابة لحبه. إذن أنا في الطريق الصحيح، حبك هو الأول، وهو الأخير أيضًا.

هنأت نفسي في السر، وارتشفت أكبر رشفة من برتقال الوزير، وأنا أضع ساقًا على ساق. جاءت خادمة إثيوبية، وضعت طبقًا من تمر المدينة المنورة الفاخر، أمامي وذهبت، و جاء بستاني أعرج، شبيه بأغلب سكان حي المساكن، لكنه لم يكن منهم، حيانا بتحيتين مختلفتين تمامًا، واحدة كبيرة القياس، خص بها الوزير، وأخرى ضيقة جدًا، لم تتعد كلمة: سلام، وجهها لي بلا حماس وانصرف.

الآن أنا في ضيافة الوزير بجدارة، في بيته وعالمه الجديد

على فهمي، والأهم من ذلك، في حي البستان، من دون تسكع في الشوارع، وإثارة للتساؤل واستياء السكان، وقد فكرت أن أطلب منه وظيفة، تبقيني في حديقة الزهور هذه، قريبًا من طيفك، حتى لو لم يتعد الأمر مجاورة طيف، لكن طلبه كان أسرع، تنحنح قليلًا وهو يقول:

- أبحث عن معلم جيد لتدريس ولدي الصغير في البيت، وأفضل أن يكون متفرغًا ولا يعمل في مدرسة، هل تعرف أحدًا من زملائك بهذه المواصفات؟

لن أقول لك يا أسماء، بأنني ضحكت، وأزعم أنك خمنت ضحكتي، وانهيار توازني، ويمكن أن تكوني قد سمعت رقصات غازات الانفعال بداخلي، بالرغم من أن توجيه ذلك العرض إلى نفسي، وقبوله بعد ذلك، قد يعد خيانة لإنهاء علاقتي بالتعليم، التي نفذتها بشجاعة، من أجل أن أتوظف عندك. لكن لا تتسرعي بالحكم علي، وأنني من النوع الذي يتجاهل قراراته، من أجل منفعة. نعم تجاهلت قراري في تلك اللحظة، ولكن من أجلك، وفلسفت القرار بسرعة شديدة، حتى أضحى مفصلًا على التعليم النظامي وحده، القرار لا يخص حي البستان، وتدريس ولد صغير، بلا أي شك. لقد عثرت على الغراء الذي يلصقني بقربك في حي أعرف تمامًا، أنك إحدى أزهاره، بل زهرته الأكثر شذى، ولن أفلته، سأقول لسعادته، إنني تركت التعليم في مدارس الحكومة، وإنني أتيت إلى هنا لمقابلة شخص عرض علي تدريس أبنائه، وأن العرض لم يعجبني، ويمكنني أن أقبل بعرضه، وهذا ما حدث.

تقبلني الوزير بلا أي تعقيد، وعرض علي راتبًا لم يكن أخاذًا

أو مشعًا، لكن إضافته للراتب المعنوي باعتبار أن وجودي بقربك راتب معنوي، جعله شبيهًا برواتب مدراء التعليم كلهم، سأدرس ولد الوزير مواد في غاية البساطة، لا تحتاج حقيقة لمدرس خاص، لكن الوجاهة الاجتماعية، ووفرة المال، ما جعلت من الأمر ضرورة ملحة. سآتي يوميًا في ساعات العصر، ما عدا عصر الخميس، وفي أول المساء أكون حرًا في التصعلك في شوارع الحي، ومحاولة التقاطك، ولن يتساءل أحد، عن هويتي، وأنني غريب، لأن ما يحدث في بيت وزير حتى لو كان سابقًا، يعتبر من المقدسات.

أبارك لنفسي يا أسماء، أبارك لها غراء الالتصاق بقربك، وسأحتفل اليوم في بيتي أو أي مكان آخر، بذلك النصر الكبير.

سلمني الوزير شيكًا على المصرف الذي يعمل فيه عبد القادر، عبارة عن أتعابي مقدمًا لشهر كامل، ونادى على الولد الصغير لأراه، وقد كان في حوالي السابعة من عمره، عنيفًا بعض الشيء، وكثير الحركة، واستفز أنفي، بأن حكه بظفر ناتئ، و ملابسي، حين سألني عن ماركتها، وكانت للأسف، ملابس تشبهني وأشبهها، اقتنيتها من أسواق الشعبيين التي لا تحتفي بالماركات، من قريب أو بعيد.

في ذلك اليوم، خرجت من عند الوزير، منتفخًا بهجة، أتجشأ فرحًا، استوقفت أفضل سيارة أجرة مرت بالطريق، سيارة من نوع الكرسيدا اليابانية، جديدة، و نظيفة ومكيفة الهواء، ومفروشة بالجلد الناعم، ويقودها سائق يبدو في هيئة وكيل وزارة، سألته بمجرد أن جلست بجواره، وتحركت العربة:

- هل كنت تستحق رئاسة نقابة سائقي عربات الأجرة، ولم

يرشحك زملاؤك بسبب الحسد؟

لم يلتفت إليّ حتى، وبدت عيناه معلقتين بالطريق، ورد علي بحزم شديد:

-أنا رئيس نقابة سائقي عربات الأجرة يا أخ، ولا يوجد في النقابة زملاء حساد.

ارتبكت قليلًا من المفاجأة، لكني ضحكت في سري، وأنا أتذكر أولئك المهلهلين، الذين يقودون عربات مهلهلة، من ماركة الهمبر والتاونوس والزفير، التي فقدت أبسط قواعد الأمن والأناقة، ويحلمون، ويخترعون ذلك المبرر الوسخ، وتمنيت أن لا أكون شبيهًا بهم، وأنا من حي المساكن، لكني لست مهلهلًا، برغم ذلك، وأستحق رئاسة المشاعر في قلبك.

أنزلني رئيس النقابة أمام مطعم القصر، أفضل مطعم بالمدينة على الإطلاق، بناء على طلبي، وكان طوال الطريق، يقود برزانة، والراديو المثبت على عربته، يبث نشرة للأخبار من إذاعة بي بي سي، وأسمع عن عودة آية الله الخميني إلى إيران، بعد نجاح الثورة الإسلامية، وتقاطر الناس لاستقباله، وكانت المرة الأولى التي أسمع فيها بثورة إسلامية، حدثت في مكان ما بالعالم. وأن محركها يسمى آية الله.

لم أكن جائعًا، وكان الوقت مبكرًا، وبالرغم من ذلك، دخلت المطعم. كنت أحتفل بطريقة خاصة، يا أسماء.

في العصر، وقبل أن يطرق كولمبس بابي، برفقة عفراء التي عادت إلى نكش عورات بيتي، وترتيب المطبخ الفقير، من حين لآخر، تاركة جعفر البكاء، يصرخ على سريري، ويوسخ ملاءاتي،

ويطـرد أحلامـي المترفـة، من ذهني، كنت أنا أطرق بابه، أردت أن أفهمه بأنني سـأكون متغيبًا بصفة يومية، في سـاعات العصر، ابتداء من غد، وفي نفس الوقت، أسأله عن السبب في عدم إخباري بأن طلحة رضوان، قد أصبح بلا وزارة.

لـم يكـن الأمـر مهمًا بكل تأكيد، ولدي أنت الأهم في ذلك الوقت وكل وقت آخر، فقط اسـتغراب من عزلي عن أخبار حي المساكن، التي ربما تعرفها نملة مهمشة، تسكن أحد الجحور. فتح وكان يرتـدي ملابـس تسـمح لـه بالظهـور دقيقة في الشـارع، تلك الدقيقـة التـي ينتظرهـا أمام بيتـي حتى أفتح، وبيده سـيجارة بانجو يعمـل علـى لفهـا بـورق خاص مـن ماركة "برينسـس"، اسـتعدادًا لتدخينهـا فـي بيتـي. سـألته وكان رده فـي غاية البـذاءة، طعنني به، واسـتل الفرحة التي فرحتها منذ الصباح كاملة، ألقاها في المسـافة بيني وبينه:

-لأنك عاشق مجنون لامرأة في المدينة، والعشاق لا يحبون أن يسمعوا سوى أخبار العشق.

عاشق لامرأة؟.. من قال ذلك؟

عرفـت فـي تلـك اللحظـة ما لـم أكن أعرفه يا أسـماء، عرفت بـأن عفـراء التـي لـم تعد لاهثـة منذ أن خرج جعفر من داخلها، قد اكتشفت دواخلي، وعلامات مرضي بك، ولقنتها للزوج المستهتر، الذي قام بصياغتها محاضرة ركيكة، للذين ما زالوا سذجًا، وقليلي حيلة، يأتون لسـماع ركاكته في ركن محاضرات الحياة، عرفت أن معظم سـكان حي المسـاكن، والأحياء المجاورة، يعرفون سـقوط معلـم رصيـن فـي الحب، وأنه الآن مثار تهكم وسـخرية، يا إلهي، هـل أخنـق فـاروق فـي تلك اللحظة، هل أصفع عفراء التي لم تعد

لاهثة؟ هل أتمرغ في التراب وأبكي؟.

كل ذلك لن يحدث، والذي سيحدث هو أنني سأبتسم بأكبر قدر من الابتسامات، سأطري ظرف فاروق، وملاحته، وأشكره على حسن ظنه وظن امرأته بي، حين ظناني عاشقًا، وأنا أكثر الناس لؤمًا في ما يختص بالمرأة، بدليل أنني لم أتزوج حتى الآن. وسأعود إلى بيتي أتمزق وحدي، وأتجاهل طرقهما العنيف الذي كان يرجني بلا رحمة.

- 14 -

كان اليوم، هو الخميس، وكان بعد أكثر من ستة أشهر كاملة، من خميسنا معًا. خميسك الذي لم تعدي تذكرينه، ولا يتحاوم في عالمك، كما أرجح، وخميسي الذي أذكره، كما أذكر اسمي، وقد أنسى اسمي وأظل أذكر ذلك الخميس، إلى الأبد.

هبطنا من عربات التاتا الأمنية، أمام النادي الطلياني، متبوعين بالنرفزة، وانفلات الأعصاب، ودخلنا المبنى صاغرين، نفس المسرح القديم المفروش ببساط المخمل الأحمر، نفس الأضواء الملونة بألوان قوس قزح، والمبعثرة في كل مكان، والزهور الحمراء والخضراء والبنفسجية، نفس العمال المتأنقين بأردية موحدة، يوزعون الحلوى وأكواب العصير، فقط كان الدم القبطي غالبًا في المكان، والعروسان اللذان يجلسان على الكرسيين المزركشين بالمخمل، في أحد الأركان ويتزاحم المدعوون الحقيقيون، والمدعوون الذين جاءوا قسرًا لتهنئتهما، يجلسان ببرود فرح، ولا يقفان لتحية المهنئين كما كان يفعل قريبي وعروسه. بالنسبة لي كانت ليلة تذكر هائلة، أرقت فيها الكثير من هرمونات التوتر، وأنا أترحل بعيني من ركن إلى آخر، ومن فتاة إلى فتاة، ومن سحر راسخ عريق، إلى سحر مصطنع بمستحضرات التجميل، كنت أعرف أنها مجرد ذكرى، مجرد هيجان لم يكن ضروريًا، أن أتهيجه لولا تلك الحملة الأمنية القاسية. مؤكد أن قدسي نفسه، لا يد له

في ذلك، فقط هو نوع من إكرام عرسه، وحشده بالناس، لأنه أدى واجبًا للوطن، بحسب تصور حكيم الدرل ورؤسائه.

أقول لك صراحة بأنني لم أعد أحب قدسي أو أقدره، كما كنت أفعل في السابق، وأعتقد أن أهل الحي جميعًا، لن يقدرونه، فما دام سعى لبيع أناس، لم يناصبوه العداء علانية، فبإمكانه أن يبيع حي المساكن كله، بأحلامه الصحيحة، وأحلامه المجهضة معًا، أظن أن تلك النظرة كانت هي نفسها نظرة حكيم الدرل، وبالتالي سعى لتجميل الاشمئزاز العام، وحشر المشمئزين جميعهم في عرس قدسي قرياقوس.

أيا كان الوضع بالنسبة لي فلم يكن مريحًا على الإطلاق، وفكرت أن أرحل قبل أن تسقط دمعتي التي ساءها أن أكون حيث كنت أنت يومًا، من دون أن توجدي الآن.

تحركت من مقعدي والأضواء تبرق بشدة، والمغني القبطي المغمور الذي لا يعرفه أحد تقريبًا، «إيليا شكر»، يشكو التباريح بحرارة، في أغنية عن الحب المستحيل، والهجر القاسي، أداها بلهجة مصرية صميمة، ورقصت فيها بنات الأقباط رقصات مصرية أيضًا، وسكان حي المساكن باردون في مقاعدهم. صعدت إلى المسرح، ومددت يدًا ماسخة لقدسي، وأكثر مساخة لمريا البيضاء، المكسرة حتى وهي عروس تزف في ليلة عرسها، وهبطت متجهًا إلى باب الخروج، حتى أتنفس بلا رقابة.

كان الوقت مبكرًا جدًا ما يزال، وأطباق عشاء الكوكتيل التي جاءت من مطعم مختص بالأفراح، لم توزع بعد، وأعلن مذيع الحفل، وكان ألبيرت الحداد نفسه، بأن الليل ما زال طفلًا يحبو، وهناك الكثير من المفاجآت في البرنامج، ستلقى قصائد

شعر من نظم شاعر الجمال «موريس مجدي»، وسيأتي سليمان القزم، لاعب السيرك المخضرم، الموجود الآن في المدينة، ليؤدي عددًا من الفقرات الجاذبة، ولو وصل الباص القادم من العاصمة في موعده، سنتشرف جميعًا، بحضور النجمة «سعدية»، الشهيرة بسوسو الطرب، أجمل مطربات الأفراح في الدنيا.

لم يكن يهمني كل ذلك يا أسماء، وتلك الطلاسم التي بينها بنفس حماسه حين ينحت بابًا أو نافذة، في ورشة الحدادة، لم أعرف منها سوى القزم سليمان ما يهمني هو أن أعود إلى بيتي بأي شكل من الأشكال، أحياك كما اعتدت أن أحياك في كل يوم من تلك الأيام الطويلة منذ أن عرفتك، وأكتب مزيدًا من الأرق في ليلي الذي لا ينتهي، وفي دفتري المكتنز بالأوراق، بحبري الأخضر الذي لا أدعه ينفد أبدًا:

366، رسالتي التي لن تصل إليك يومًا، وفقط أكتبها، لأن واجبي كعاشق نقي في زمان غير نقي، يحتم علي أن أكتبها، ولأن الكتابة في حد ذاتها، تمنحني دروسًا في الصبر، أحتاجها بشدة، لأكون العاشق المثالي في كل الأزمان، الموظف المعنوي عندك، إضافة إلى وظيفتي الجديدة، مدرسًا لشقاوة ولد الوزير.

عند باب الأثر الطلياني، كان الأمر مختلفًا تمامًا، عثرت على عشرات الأمنيين، بعضهم أعرفه من أيام الدهاليز المظلمة، وبعضهم أراه لأول مرة، كانوا منتشرين في محيط النادي، وعرفني حكيم الدرل، الذي كان يشرف على تنسيق الأذى، بسهولة شديدة، حين وقعت عيناه علي، بالرغم من أنني كنت مهمة روتينية من مجموع مهامه المتعددة، منذ أكثر من سبع سنوات. شدني من قميصي برفق، أبقاني واقفًا بجانبه، ويده ما زالت على القميص، استخدم جهازًا

للراديو، كان بيده اليمنى، صرخ داخله: رافع الأثقال.. حوِّل.. دون جوان أصلي.. حوّل.. يتيم الخرابات.. نعم.. نعم. وسمعت صوتًا مضطربًا يصدر من الراديو، بعد عدة ثوان: الدب القطبي يا زعيم. أسطورة ملكة الجن يا نحلة.

بالطبع لم أفهم شيئًا على الإطلاق، لكن قبضة الدرل على ثيابي تراخت، وعند ذلك ابتسم، مد لي يدًا مواطنية عادية، صافحني بها وهو يقول:

- شرفت العرس الوطني يا أستاذ.

أضاف بسخرية، لا تخطئها أي أذن:

-لكن الانصراف بعد نهاية الحفل، مع الاعتذار لجنابك. هل تتكرم، و تعود إلى الداخل لو سمحت؟.

نفذت التعليمات بلا أي خيار آخر، وعدت للداخل، وأزداد حنقًا على العريس المحروس أمنيًا، والعروس التي تتكسر بلا رغبة في أن تجمع نفسها كامرأة عادية، وعلى نفسي، وجميع مواطني حي المساكن الذين انقادوا كالبهائم وركبوا العربات المصفحة، ليحضروا هذا العرس.

شاهدت كولمبس متضايقًا، مرتعش اليدين، ويبدو أنها مضاعفات عدم تعاطي سيجارة البانجو اليومية، شاهدت عفراء غير اللاهثة، تحمل جعفر، ويصرخ من الجوع كما يبدو، وليس ثمة طريقة لإرضاعه أمام الناس، شاهدت حليمو وقد أزال لحيته في لحظة خوف واستعجال بكل تأكيد، لأن الإزالة لم تكن متساوية على ذقنه، ثمة أمكنة ما زالت محشوة بالشعر، وأمكنة عارية، وضحكت. وشاهدت حتى بائعة قصب السكر، أسماء التي

كلما رأيتها، صممت على التفكير في محاولة جرها ذات يوم، إلى المحكمة الشرعية لأنتزع منها اسمًا لا تملأه، ولن تملأه مهما فعلت. وحين انتهت أغنيات القبطي إليا، وفتاة أخرى، كان صوتها كارثة حقيقية، وصعد سليمان القزم، ليؤدي فقراته الموعودة، كان الليل قد انتصف بالفعل، وكنت ما أزال مسمرًا في المقعد، معزولاً عن محيطي، وداخل محيطك أنت، أفكر في يوم الغد الذي سأقضي عصره في حي البستان بصفة شرعية، ولولا خبطة فاروق على كتفي، وهو يطالبني أن أشاركه التذمر، ولو بإيماءة من رأسي، لظللت هكذا مغميًا علي في حلمك، حتى يذهب الناس جميعًا، وأبقى.

- 15 -

رعب.. رعب غير عادي يا أسماء، رعب لن تستطيعي تصوره، لا أنت ولا أنا ولا أي أحد آخر. الرعب المجنون، الكلاسيكي، المتقن، المكتمل، والذي أطار العشق من قلبي، بكل أسف وعشش في كل نبضة أنجزتها في ذلك الليل.

كانت قد خصصت لي في بيت الوزير طلحة رضوان، غرفة منعزلة عما يدور بالبيت، بالرغم من أنها داخله، وذلك لتدريس الولد «همَّام»، وهذا هو اسمه. كانت غرفة في غاية النظافة، مرتبة بعناية، ومفروشة بملاءات حريرية بألوان مختلفة، تستبدل كل يوم بواسطة إحدى الخادمات، وبها خزانة واسعة للثياب من خشب التيك، وخزانة صغيرة للجوارب، وطاولة من الحديد المصقول من أجل الكتابة، وأباجورة حمراء اللون، تضخ ضوءًا بنفسجيًا حالًما، وأيضًا ثلاجة صغيرة، من ماركة «كلفينتور»، للارتواء منها في ساعة العطش، إضافة إلى عدد من اللعب البلاستيكية، والسيارات الصغيرة التي بإمكان الولد أن يتسلى بها، عند شعوره بأي ملل، كما قيل لي في أول يوم استلمت فيه مهمة تدريسه.

ابتهجت بتلك الغرفة كثيرًا، بدت لي مخدع غرام مكتملًا، يستخدم في غير غرضه، أدخلتها في أحلام الوصال الوردية، وتصورتها بلا أي وجه حق، مخدع عشقنا الثري، الذي سيضمنا ذات يوم. أعرف أنها مبالغة كبيرة، ولطالما كانت حياة العشاق

أغلبهـا مبالغـات، ولكن التهيـج المجنون، يجعلها حقائق غير قابلة للجـدال. ولأن حبـك حقيقـة وغير قابـل لأن يكون غير ذلك، فإن كل ما يتعلق به، حقيقة أيضًا.

كان بإمكانـي أن أتكـئ علـى السـرير المريح حين أتعب من جلسـتي، أتواجـد بمتعـة في أحـلام يقظتي اليومية، وأمسـح عرق التوتر الذي يصاحب تلك الأحلام، بينما همام يراجع واجباته التي أردمـه بهـا أحيانًـا، وكانت دروسـه في الحقيقة، في غاية البسـاطة، دروس تلميذ ابتدائي في بداية الدرب، تضم نصوصًا قرآنية من جزء عم، ومسـائل بسـيطة في الرياضيات، وقواعد اللغة العربية الأولية، و تاريـخ غيـر مهـم، أو غيـر ضروري لطفل، يعيش حاضرًا سلسًـا ويتطلع لمستقبل أكثر سلاسة، إضافة إلى جغرافيا شديدة السطحية، لم أكن بحاجة لأطالس العالم الممتدة، كي أراجعها. وكنت أدرسها من خبرة تعليمية بحتة.

لا تتصوري حجم سعادة المعاناة، وهي تقتنصك في حيك، تتراكض إلى ما وراء الغرفة المنعزلة، لترسم تلك الروضة المفقودة، وأنت، زهرتها الأكثر رحيقًا، ومن نافذة مفتوحة في الغرفة، وتطل على حديقة البيت، كنت أستطيع أن أتبين أصواتًا متعددة، أميز بين صـوت الرقـي المتمثـل في صاحبة البيـت أو زائراتها المخمليات، حين يثرثرن في الحديقة، وصوت اللارقي، ويمثله البستاني الشبيه بسـكان حي المسـاكن، وليس منهم، وهو يغني بشـعبية، أو يغازل خادمة عابرة. وبرغم أن همام كان كثير الحركة، ومعقدًا في التربية، بحيث تقتله رائحة عطري الشعبي الذي أضعه، ويسد أنفه عدة ثوان كلما زرته، إلا أنه كان سريع الفهم، ويستطيع في أقل من ساعتين أن ينجز واجباته كلها، ويدخل إلى البيت، يجلب رقعة للشطرنج،

ويلاعب نفسه، لأنني لم أكن ضليعًا في الشطرنج، بالأحرى كنت مثل المجنون الذي وقع على قميصي في نادي هواة الشطرنج، لا أعرف عن تلك اللعبة أي شيء، ورفضت أن يعلمني إياها همام، لأكون غريمه، لا بسبب تكبري من أن أصبح تلميذًا لطفل، وأنا معلم، بل لأنها فرصة سانحة، لاستعادتك، ورسمك بألوان متعددة في الذهن، أثناء انشغاله بملاعبة نفسه.

كانت زوجة الوزير، واسمها (ليلك)، وهي المرة الأولى التي أسمع فيها بذلك الاسم، ولم أعرف بأنه اسم زهرة، إلا بعد زمن، امرأة في حوالي الخامسة والأربعين، جميلة جدًا، وراقية جدًا، بوصفها تذوقت لحم الوزارات هي أيضًا، وسافرت إلى العالم كله، تحت مظلة زوجها المسافر باستمرار، كأن التخطيط القومي وزارة طائرة في الجو، أو وزارة مهامها موزعة في الدنيا كلها، وأجزم أنها كانت تشبهك في يوم ما، ولا أعرف هل كان ذلك حقيقة، أم بإيحاء من الصورة التي التقطتها لوجهك في ذلك الخميس المختلف، وثبتها على عيني، لا تسقط قط. كان لديها ثلاثة أبناء وبنت، كما عرفت، همام أصغرهم سنًا، آخر العنقود كما يقولون، والباقون ما زالوا في الجامعات، لا أدري في جامعاتنا الداخلية التي تخرجنا فيها، وتضم كل من هب ودب، أم جامعات أخرى في بلاد لم نحلم بمطالعتها حتى في الصور. كانت تأتي أحيانًا، تتكئ على بباب الغرفة، وفي يدها دائمًا كوب عصير، لم يكن مانجو ولا برتقالًا، ولا أي عصير آخر، أستطيع معرفته، تسألني عن تقدم مستوى همام، وأجيبها بثبات أستلفه فقط، ساعة سؤالها، بأنه يتقدم، ويعود ارتباكي فيك، بمجرد اختفائها، سعادة الوزير، لم يكن يأتي إلى تلك العزلة أبدًا، ولم أكن أره إلا ظلًا مشبعًا

بالغموض، يتحرك في البيت، حين أدخل أو أخرج.

بعد نهاية ساعات العصر، وتحرري من معضلة همام، وانضباط البيت الوزاري، كنت أتسكع في الجوار كثيرًا، قبل أن أستقل سيارة أجرة، وأعود إلى وسط المدينة، لأتعلق في الحافلات المتجهة إلى حي المساكن، أمارس تسليتي المفضلة، حين أخرجك من بيت فخم، وأدخلك آخر، أكثر فخامة، أجعلك تشترين من تلك البقالة الواسعة الممتلئة بالسلع، أو تخيطين ثيابك، عند ذلك الخياط، الذي طالما تيبست قدماي من الوقوف أمام محله، وكم من مرة خيل إلي أنني شاهدتك بالفعل، وأركض بلهاث مجنون، لأتجاوز من شاهدتها، وألتفت، وأجدها خامة أخرى نظيفة، لكنها ليست أنت.

لم أتعب أبدًا، ولم أمل أبدًا يا أسماء، أكثر من ذلك، كنت مستغربًا بشدة، كيف عشت حتى تجاوزت الأربعين، بلا تلك اللذة المعذبة.

في الحديقة التي جلست فيها ذات يوم، وتغطرست علي فيها الإثيوبية، وظهر ألماني المعدل إلى الشيخ أبي الصاحب، وتابعه الأزهري، يوم فرارهما من فخ الوطني قدسي قرياقوس، وكنت أجلس فيها أحيانًا في بدايات المساء، تعرفت على رجل في حوالي السبعين، كان بملامح قاسية، يرتدي الثوب والعمامة، ويتحدث بلهجة مصرية ليست مستقيمة أو مألوفة تمامًا، أخبرني بأنه أصلًا من صعيد مصر، وجاء منذ عامين برفقة أسماء، حين زارت قريته، والآن أصبح من أتباعها، ويساعدها في العمل.

قفز قلبي في تلك اللحظة، حتى خلته سيشق الضلوع ويخرج:

-أسماء، من أسماء يا عم؟

بدا مستغربًا، أنني لا أعرف أسماء، وسؤالي المتعجب العنيف، لم يكن في الحقيقة، عن المعرفة أو عدمها، كان ردة فعل متوقعة جدًا، حين اسمع اسمًا عزيزًا، ساحرًا، وموجودًا في حي البستان، تنطقانه شفتا صعيدي من جنوب مصر. رد:

-أسماء شيخة الزار الشهيرة، ألا تعرفها؟.. هذا هو بيتها.

كان يتحدث بفخر، ويشير إلى بيت غريب من طابقين، مدهون بأخضر نشاز، يطل على الحديقة، وتنهدت في ارتياح. لن تكوني شيخة زار أبدًا، إضافة إلى أنني سمعت بشيخة الزار تلك، فلا يوجد أحد لم يسمع بها وكانت من علامات المدينة الكبرى،. وهي أيضًا من اللائي وددت مرارًا أن أنتزع منهن اسمك، ألبسهن أسماء أخرى، ليست من أسماء الكواكب والنجوم.

قلت لحواري شيخة الزار الصعيدي، وأنا أتحدث من باطني، بلا وعي، بأن الرزق واسع، وإنني أتعجب من تبعيته لأمرأة مثل هذه، تغتني من بيع الشعوذة، بينما يزداد أتباعها الفقراء، فقرًا، فاتسعت حدقتا عينيه، بما خلته رعبًا مفاجئًا، وفر من أمامي، ولم أعد أراه يتنزه في الحديقة مرة أخرى.

أحيانًا، وبمجرد أن أنتهي من ساعات التدريس، وأخرج من بيت الوزير، كنت أعثر على شمس العلا- عاصم، ينتظرني قريبًا من الشارع العام، على دراجته النارية، وهو يلمع حذاءه كالعادة، نذهب معًا إلى حيث نجلس، في مكان منعزل، نتبادل حكايات شبه خرساء، هو صامت مستغرق في معضلته أو مسح حذائه،، وأنا صامت أيضًا، تتناسل في داخلي، لغات شتى. وكان أول من انتبه

إلـى نحولـي، وأنني فقدت الكثيـر من الـوزن، وكان ذلك حقيقة، وأخبرني بأنه جاهد في المدرسـة، حتى يلغي إشـاعة جنوني التي انتشـرت بشـدة، بين الطلاب، بعد أن اسـتقلت. لم يخبرني كيف جاهـد، وكيـف انطفأت الإشـاعة، وشـكرته كثيرًا. وفـي يوم رائق، خال من الحر والرطوبة التي تشـتهر بها المدينة السـاحلية، جلسـنا فـي كافتيريـا مراحب على شـاطئ البحر، حيث كان يجلس ألماني قبل أن يتعدل إلى كارثة.

كان المـكان مزدحمًا بالسـياح، ثمة سـياح عـرب وأوربيون، وحتـى مـن الهنـد، لا أعـرف مـاذا يجدون في بـلاد، لا توجد فيها سـوى الشـمس، ولا سـياحة منظمة، أو معالم يمكن أن تلتقط فيها صور، وتبقى ذكريات.

كان شـمس العلا منشـرحًا بشـدة في ذلك اليوم، ولدرجة أن ثمة ذرات غبار حقيقية علقت بحذائه، لم يسع لإزالها. أخبرني بأن مشكلته قد انتهت تمامًا، ذلك أن أمه باعت باختيارها ومن دون أي ضغط منه، عدة أراض زراعية كانت تملكها في القرية، وسترسـل لـه المـال الـلازم قريبًـا مع أحد أقاربه، من أجل أن يحيي مناسـبة عرسه بشكل لائق، ويؤسس بيته الجديد، لفتاة الأسرة الراقية، كما تـؤسـس بيوت طبقتها. أخبرني أن زوجته المسـتقبلية، تخطط معه باستمرار، وأنها اختارت قاعة «صفاء» الجديدة الفاخرة، في وسط المدينة، لليلة الزفاف، واختارت اسـمي «وضاح وشـمعة»، لطفلين جميلين سيلدانهما، وبقليل من الحظ، قد يجد عملًا في دولة عربية خليجية، ويسافر، منهيًا علاقته مثلي بالتعليم الحكومي السخيف.

هنأتـه بصـدق، وكانـت ثمـة فرحة أخرى، فرحتها في السـر، ذلك أنه قد وفر كل شيء، بعيدًا عما خمنته حاستي المتمكنة من

قبل، وأنه سيرتكب جريمة، من أجل أن يحقق الحلم. صحيح أن الحاسة أخطأت، ولكنه خطأ كنت أريده وأتمناه دائمًا.

بغتة سألني:

-وكيف تسير أمورك مع أسماء، هل عثرت عليها؟

ارتبكت بالطبع، أكثر من ستة أو سبعة أشهر، مرت وما زلت معلقًا، أقيم في بؤرة العسل، ولا عسل يرشح، لكني لن أعترف، سأقول بأنني التقيتك أخيرًا، وبأننا نلتقي باستمرار، وأننا نتبادل الحب بجنون، وأضيف بأن موعد زفافي يقترب أيضًا، وربما يكون متزامنًا مع موعد زفافه. سيصدقني شمس العلا، ولن يسمح له ذهنه المشغول بشدة، أن يطرح مزيدًا من الأسئلة، ولو طرحها سأخبره، بما لا يستطيع تصوره، وتعرفين بأنني تمكنت في سيرتك، وأعرف ما لا تعرفينه حتى أنت.

الشيء الغريب الذي شعرت به أيضًا في تلك اللحظة، هو غيرة مهلكة أصابتني، ارتعش جسدي كله، وهو ينطق باسمك، لا أحد أريده أن ينطبق باسمك غيري.

- 16 -

كان حي المساكن بلا كهرباء، حين هبطت من الحافلة في بدايات ذلك الليل، الحقيقة كان بلا كهرباء منذ عدة أيام، ولا أحد منا يسأل عن السبب، وقد أخبرتك من قبل عن تلك الكهرباء المتقطعة، عن الرقصة التي اخترعها الولد الشقي خطاب ابتهاجًا بعودتها إن انقطعت، ولا تستخدم إلا نادرًا.

دخلت بيتي بطريقة عادية، شبيهة بالتي أدخله بها كل يوم. كانت ثمة شموع موضوعة في أحد أركان طاولتي على الصالة، وأردت التقاط واحدة، أشعلها، وكنت قد أقلعت عن المشي، وممارسة حياتي في الظلام منذ زمن، وبالتحديد، في ذلك الليل الذي علقت فيه بك، وتعثرت بالطاولة، وسقطت، وتحطم قلبي. مشيت بحذر، ومددت يدي إلى مكان الشموع كما قدرت، لكنها سقطت على ما خلته شعرًا أجعد. ارتعشت قليلًا وحركتها إلى الأسفل، وكنت أحركها على لحم طري.

لا أذكر متى صرخت لأول مرة، من بعد صرخة الميلاد الحتمية، لكل قادم جديد للحياة، والعشق الذي يغلفني وأرتدي ثوبه الكثيف منذ أشهر، قد يحتلب البكاء من الأعماق، ولكن لا صراخ مع العشق.

صرخت.. وأحس بعظامي قد تيبست، ولا أستطيع أن أحرك يدي ولا قدمي، ولا أسد الحلق الذي واصل الصراخ.

فـي دقائـق معـدودة، كان فـاروق كولمبس وأسـرته المكونة مـن عفـراء وجعفر البكاء، وعدد من مواطني حي المسـاكن، كانوا يحضـرون الركاكـة الليليـة فـي ركن فـاروق، وحليمو الذي كان لا أحدَ في كل أوقاته وهو جار لصيق، يدخلون بيتي، بأيديهم شموع متقـدة، وفوانيـس ذات ضـوء شـاحب، ومشـاعل يدويـة، وثمة من تطوع للوقوف بباب الصالة، مانعًا دخول النساء والأطفال.

كان المنظر الذي اتضح بعد ذلك، غريبًا بالفعل، كان ثلاثة رجـال بالغـون، يرتـدون الثيـاب الوطنية، كاملة مـن ثوب وعمامة، وحـذاء مـن الجلـد الرخيـص، جالسـين على مقاعـدي، ووجوهم منكفئـة علـى الطاولـة، بينما أيديهم تترنح في الهواء. وقد سـقطت عمامـة أحدهـم، ولا بـد أنـه الذي لامسـته يـدي وأنـا أحركها في الظـلام. ابتعـدت وأبعدت عيني بسـرعة، وأسـمع فـاروق يضحك بجنـون، وهـو يقلب الأجسـاد، ويقـول من بين ضحكاتـه الدامعة: إنهم ميتون.

كيف ذلك؟

أسـتدعي صوت، لا أعتقد أنه خرج مني حتى يسـمعه أحد، أعود إلى المنظر الغريب، وأشـاهد رجال حي المسـاكن الصلدين، يجسـون النبض، يتسـمعون الصدور، يرفعون الأيدي ويلقونها في الفراغ، يرددون : إنهم ميتون.

كيـف ماتـوا؟ ولا توجـد آثار عنف في المكان الذي تفحصته بسـرعة، ولا على أجسـادهم، أو ملابسـهم، وأيضًا من هم أصلًا، وكيف دخلوا بيتي، ليموتوا بداخله، لأنني لم أتذكر أبدًا، أنهم عبروا بحياتي ذات يوم، ولا أحد آخر من حي المساكن، المنغرسين في قلب المحنة، استطاع أن يعرفهم.

كان الحي في ذلك الليل الحالك بلا كهرباء، بحاجة إلى وليمة قاسية، كي يمضغها على عجل، ويبصق جزيئياتها الممضوغة، في كل مكان، تطأه الأقدام، وقد أوجدت لهم من دون أن أدري، تلك الوليمة الغريبة.

كان أسوأ ما في الأمر، أن المستثمر الوطني المزعوم، قدسي قرياقوس، قد جاء، وبصحبته الصهر الجديد، ألبيرت الحداد. كان صوته أكثر جلجلة من بقية الأصوات، وهو ينصح بتوخي الحذر، وعدم لمس الجثث، وإبقاء صاحب البيت تحت الرقابة، حتى لا يفر. أضاف بأنه قد أرسل أحدهم لاستدعاء الشرطة، وأنها قادمة في الطريق. أردت أن أصفعه بصيحة أكبر من صوته، أفهمه بأنني لست قاتلًا ولا سفاحًا، ولا أعرف أولئك الموتى، ولم أرهم من قبل، فلم يخرج صوتي من حلقي، كأن تلك الصرخات التي أسرفت في نزفها، قد جففته، وكانت سخرية مرة بحق، حين وجدت نفسي أحاط بغتة، بنفر من صعاليك حي المساكن، أولئك الذين لم أكن، أقرئهم حتى السلام إذا ما صادفتهم في الطريق، أجلسوني على الأرض في إحدى الزوايا، وأرى قدسي، منتفخًا، يدير التحري، ويتحدث عن النقاط القانونية والدافع إلى الجريمة، والأداة التي استخدمت، وبين الحين والآخر، يصيح ألبيرت الحداد:

- الرب يباركك يا زعيم.

ويرد قدسي على تلك التحية:

- الرب يباركنا جميعًا يا ابن عمي.

حين جاءت الشرطة أخيرًا، كنت بلا عقل أجمع خلاياه لأحكي، بلا لسان أسخره في سرد ما حصل، بلا قدمين أستند

عليهمـا، ولا معنويـات أرفـع بها رأسـي، أبعد قليـلًا عن الأرض. كان ثمـة مسـعفون، تعاونـوا مـع الحاضريـن في نقـل الجثث إلى المستشفى، حيث تشرح لمعرفة سبب الوفاة، أيدي رجال الشرطة نكشـت جيوبهم، على أمل العثور على بطاقات تبين الهوية، ولم تكـن ثمـة بطاقات، ورجل صلـد فهمت بأنه من المعمل الجنائي، تبعثـر فـي البيـت كلـه، ولا أعـرف عن ماذا كان يبحـث، أخبرتهم بإشـارات مـن يـدي، وبصوت مبحوح بالكاد يخـرج، أن يمهلوني وقتًا حتى أستعيد ثباتي، لأسرد ما حدث، وكانوا متعجلين بشدة، وتطـوع فـاروق الـذي ضاعت ضحكاته، وضاع مـزاج البانجو من رأسـه، إلى إحضار شـراب سـاخن من بيته، من أجل تطرية الحلق والحبال الصوتية.

كانت قصتي في غاية البسـاطة، حين اسـتطعت أن أسـردها أخيـرًا: كنـت أدرس ابـن الوزيـر طلحـة رضـوان، وزيـر التخطيط السـابق، فـي حـي البسـتان، كما أفعل في كل عصـر، ما عدا عصر الخميـس، خرجـت مـن بيته، وتسـكعت قليلًا في الحي، بلا هدف محدد، ركبت عربة أجرة إلى وسط المدينة، كان سائقها متذمرًا من عدم ترشيحه لرئاسة نقابة سائقي عربات الأجرة، نزلت في موقف الحافلات الرئيسي، والتقيت ببائعة قصب السكر، أسماء التي تقيم فـي حـي المسـاكن أيضًا، وركبنا حافلة معًـا، كانت تجلس بقربي، وحدثتني طوال الطريق عن خسة زوجها الأخير، في سلسلة مكونة من ثلاثة أزواج، عبروا بحياتها، وكيف اشـترى لنفسـه شـطيرة من لحـم الضـأن يـوم أمس، ولم يشـتر لها. نزلنا معًا وما زالت تسـب الـزوج، اتجهـت إلـى بيتها، واتجهـت إلى بيتي، ولم أنس أن أقول لهـا كمـا اعتدت في الأشـهر الأخيرة، كلما التقيتها: سـآخذك يومًا

إلى المحكمة الشرعية، لأنتزع منك هذا الاسم الساحر، وألبسك آخر يشبهك.

استوقفني الضابط الذي كان يقف في منتصف الصالة الخالية، إلا مني ومنه وعسكريين آخرين، وقدسي قرياقوس، بإشارة من يده. سألني:

-ولماذا تريد أن تغير اسمها بالقوة؟

لم أكن بحاجة لارتباك إضافي، وأنا الارتباك نفسه في تلك اللحظة، رددت على الضابط، بأنها من صديقات أمي الراحلة، وقد اعتدت أن أمزح معها منذ الصغر. ويبدو أنه تقبل ردي غير المنسق جيدًا، وخاطبني أن أستمر:

- دخلت بيتي كما أدخله عادة، دحرت ظلام الصالة كما أدحره عادة، تحسست موضع الشموع، وأعرف أين توجد، وكان أن عثرت على الرعب وصرخت. هذا كل ما حدث.

أظن أن قدسي كان سخيفًا جدًا، الرجل الذي باع جماعة ربما لم تكن تخطط لشيء ضده، وضد أي أحد آخر، يستعد لبيعي، ولم أفعل له ما يبرر ذلك الجرس العنيف الذي يدقه الآن في مُزاد ضياعي، قال:

- هناك نواقص في هذه القصة، هناك تناقضات. أين الشموع التي تدعي وجودها في الصالة؟، لم يقل أحد أنه عثر على شموع، حين حضر الناس على صرختك.

لا أدري لمَ لم يسكته المتحري، وهم عادة يسكتون الرضع لو صاحوا جوعًا أثناء تحقيق مع الأم، يسكتون الذبابة لو طنت بين أسئلتهم، وإجابات متهم يسألونه. لماذا تركه يحضر التحقيق أصلاً،

[illegible] وهو ليس رجل قانون ولا رجل شرطة، [illegible] من مواطني حي المساكن.

[illegible]ت للضابط بعد أن تجمعت لدي بعض الشجاعة، المستمدة من وقاحة قدسي، وغدا صوتي رطبًا ويمكنه أن يضفر حديثًا:

-سيدي لماذا يوجد هذا الأخ هنا؟.. لماذا يمارس التحري؟ هل هو رجل شرطة؟

الضابط سكت، وفهمت لحظتها بأن رجلًا رضيت عنه الأجهزة الأمنية، واحتُفل به كمواطن صالح، ومُنح شهادة تثبت صلاحه، لا بد عُممت سيرته على كل من يهمهم أو لا يهمهم الأمر، وممنوع تمامًا أن يسكته أحد.

أنا الآن في السجن المؤقت يا أسماء، هل تصدقين بأن عاشقك الذي تسكنين دماءه، ونبضات قلبه، في السجن؟، في تلك الحظيرة البائسة، بصحبة عشرات الخارجين على القانون، ولم يخرج على قانون من قبل قط، إلا إذا عُد عشقك خروجًا على القانون.

اقتادونا أنا وكولمبس وحليمو، كما تُقاد القطعان، أيدينا مسلسلة بالحديد، ووجوهنا باتجاه الأرض، ولم يُسمح لكولمبس أن ينفرد بعفراء، ولو للحظة، يخبرها عن أسرار بيته التي لا تعرفها، حتى تنتظره آمنة، كان سيخبرها بكيفية إغلاق باب الحديد من الداخل، ولم تكن تعرف، أي مفتاح تستخدمه لتفتح خزانة النقود القديمة، وكيف تطيق بكاء جعفر بلا زوج يساعدها. أخبرتهم بأن يخلوا سبيله، هو وحليمو لأن الموتى كانوا في بيتي أنا، فلم يستمع إليّ أحد، وقال قدسي، وهو يطالعنا بسخرية، حين صعدنا

إلى سـيارة الشـرطة، إن التحريات يفترض أن تشمل
هو شخصيًا، وأسمع الضابط يردد: -لا يا زعيم، كلهم
وأستغرب مـن تلـك الزعيـم التـي تطلق عليـه، ولا أر
زعامة كرام أبدًا.

كانـت المـرة الأولـى التـي أدخـل فيها سـجنًا يا أسـماء، ولا تُعد الدهاليز المظلمة التي قضيت فيها شـهرًا من قبل، سـجنًا، لأن السـجن يعنـي إدانـة، أو احتمـال إدانة قد تأتـي، بينما الدهاليز، لا تخضـع للإدانـات وغيرها، مملكة حكيم الدرل، وغيره من عاجني خبز الضرر، خارج نطاق المحاكم، وخارج نطاق الحياة كلها. كان كولمبس يائسًـا، وتيبسـت أطرافه من غياب النشـوة، ويواجه إدانة أخرى حتمية، لأنهم عثروا على عدة فصوص من البانجو في جيبه، حين فتشـوه، وحليمو لا أحدَ حتى وهو السـجن، كان منزويًا في أحد الأركان، ولا تنبئ تقاطيعه عن أي لهفة أو حسرة أو خوف.

كنـا مـع القتلـة يـا أسـماء، مـع اللصـوص وقطـاع الطـرق، والمغتصبيـن، وتجـار الاحتيـال، ومروجـي الحديـد والأسـمنت المغشـوش، وباعة السـلع منتهية الصلاحية، وعثرت على تلميذي الـذي كان يعمـل فـي تقطيـع الصـور، ووضعها فـي الإطارات في استديو عنتر وإخوانه، أيام الجمع، من أجل أن يعول أسرته. فوجئت بوجوده، وفوجئ بوجودي، وتشـابهنا في البؤس وجلسـة الأرض الخشنة، كأننا لم نكن يوما تلميذًا ومعلمه، وأخبرني صراحة، وربع سيجارة متقد على فمه، بأنه لم يكن يعمل من أجل أسرة يعولها، ولا كلام فارغ، ولكن من أجل زوزو، بنت الهوى، عشيقته في حي الصهاريج، وقام بكسـر خزانة الاسـتديو في إحدى الليالي، وسرقة محتوياتها، من أجلها أيضًا، لأنها أرادت أن تبدو حسناء مميزة في

نظره حين يأتي، وكانت بحاجة لمستلزمات الحسن. وحين سألني وربع سيجارة آخر، يتسلل من جيبه، إلى أصابعه، عن تهمتي، قلت له: كان ثمة ثلاثة رجال ميتون في بيتي، ورأيته يرتجف، تتسع عيناه بغتة، تنقبض أمعاؤه بمقدمات قيء، ثم يزحف بعيدًا عني.

سامحيني يا أسماء، لأن تفكيري في المعضلة الراهنة، كان أعظم من تفكيري فيك، ولأول مرة منذ أشهر طويلة، أجد تفاهة تافهة مثل هذه، تقصيك عن ذهني وتشوه رسومات الأمل التي لم أتوقف عن رسمها منذ عرفتك.

بدأت باسترجاع الموتى على طاولتي، ومحاولة تذكر وجوههم، التي شاهدتها ضبابًا وأنا بين الوعي والغيبوبة، فلم أعثر مجددًا على وجه أعرفه. كانوا متشابهين إلى حد كبير، كأنهم إخوة أو أبناء عم أو خال، أو لعل الموت، يستهزئ بالملامح، فيوحدها كلها. أعمارهم متقاربة أيضًا، ربما كانوا في الثلاثين أو أزيد قليلًا، جلابيبهم بيضاء، نظيفة، وكما قلت لك، لم يكن ثمة أثر لعنف استشرى، أو دم أريق، لا آلة قتل ولا أي شيء، وبالطبع من غير الممكن، بل من المستحيل تمامًا، أن يكونوا قد ماتوا بعادية مطلقة، في نفس الوقت.. لن تدخل تلك الفرضية ذهن أحد، لن يقبل بها ضابط ولا متحر ولا حتى فرد عادي من سكان حي المساكن. حليمو أيضًا لم يتعرف عليهم، وفاروق أقسم بأنه لم يرهم إلا بهذه الصورة، فلم يكونوا من أهل حي الصهاريج، الذي يعرفه جيدًا، ولا كانوا من موزعي نبات البانجو، ولا كانوا من جلساء بيته الركيكين، في يوم من الأيام، ولا من الصعاليك الذين تعجبه صحبتهم، ويتوغل في الضياع معهم أحيانًا. الشيء الغريب أيضًا غير وفاتهم الغريبة، هو لماذا تواجدوا في بيتي أنا بالتحديد؟، وكيف

دخلوا، ولم تحدث من قبل قصة مثل هذه في حي المساكن.

-هل كانوا ملتحين؟.. لم أنتبه إلى ذلك.

كنت أسأل كولمبس، وكلومبس متخشب، لا يجيب، وأظنني فكرت في أشياء قد تبدو بعيدة جدًا، أن يكونوا من تعساء ألماني، وتمت تصفيتهم في بيتي، لسبب لا أعرفه.

كانت متاهة واسعة يا أسماء، وقد مضى يومان قاحلان، لا نعرف ماذا يدور خارج قحطهما، تنفتح الأبواب عدة دقائق، يرمون لنا بخبز بائس وأطباق من العدس المر، والفاصوليا النيئة، أو يأخذوننا إلى مراحيض قذرة، ويعيدوننا، ولا أحد يرد حين نسأل عن وضعنا، أو نستفسر إن كانوا قد عرفوا هويات الرجال، أو سبب موتهم الغريب، والذي تسبب فيه.

في اليوم الثالث، وأنت مازلت غائبة عن ذهني، بكل أسف، وعجلة المحنة تدور وتطحن، وتدور وتطحن، ولا نتيجة، والشيء الوحيد الذي سمحت له أن يطل وسط المحنة، وطردته سريعًا بعد ذلك، حتى لا أموت، هو خوفي من أن تعتبرني «ليلك»، زوجة الوزير، وحشًا غير جدير بدخول بيتها، حتى لو ثبتت براءتي، وأعفى من تدريس همام، وبالتالي من الغراء اللذيذ، الذي يلصقني بحي البستان، على أمل أن أعثر عليك، انفتح الباب بغتة، ونادى عسكري جامد الوجه، على اسمي واسم كلومبس وحليمو، وطلب منا أن نتبعه.

كنا في ممر ضيق، ممتلئ بالمعضلات، سكارى ينتظرون البت في شأن ترنحهم في الشوارع، بائعات هوى بأظفار طويلة مصبوغة بالمانيكير، وملاحة رثة، يتضاحكن، ويعدن ويتواعدن، بلا رهبة من

المكان، رجال بملامح عادية، لا يبدون من الخارجين على القانون، وامرأة في الثمانين تصيح بأعلى صوت سمح به العمر، إن رجال الشارع الذي تسكنه، في حيها، انقلبوا فجأة إلى وحوش مغتصبة.

عند نهاية الممر، دخلنا إلى غرفة صغيرة، يحتلها ضابطان مدججان بالرتب، وكان الوزير السابق، طلحة رضوان، مكتملًا في إشعاع ذويُ الشأن العالي، يجلس بارتياح وأمامه فنجان من القهوة.

-سعادة الوزير؟

كان كولمبس من نطقها، وسبقني برغم تيبسه، ولم يكن حليمو سينطقها أبدًا، لأنني أشك بأنه يعرف الوزير طلحة أصلًا.

ما قيل في تلك الغرفة يا أسماء، وما تبع ذلك من ارتجاج في داخلي، أدونه لك بوصفه واحدًا من الأحداث الكبرى التي عصفت بحياتي، بعد حبك. الوزير لم يقل شيئًا في البداية، وأحد الضابطين تحدث، ولم يكن القصد أن يعلن براءتنا، ويطلقنا، ولكن ليطرح المزيد من الأسئلة، والمدينة خارج الأسوار كما فهمت، تفور وقد أصابها الرعب. الرجال الميتون اكتشفت هوياتهم أخيرًا، وكانوا تجار ماشية من وسط البلاد، باعوا بضاعتهم مؤخرًا، وكانوا في طريقهم إلى موطنهم، وقد فقدت جرابات الجلد التي كانوا يربطونها في وسطهم، وتحمل الثروة.. نتيجة تشريحهم لم تبين سببًا للوفاة، على الإطلاق، واستخلصت مواد من أحشائهم وعينات من أنوفهم وجلودهم، وتحت أظفارهم، وأرسلت إلى العاصمة، تمهيدًا لإرسالها إلى خارج البلاد، لمعرفة سبب الموت.

كانت المأساة العظيمة، أنهم إخوة، والآن نفر من قبيلتهم، كانوا موجودين بالمدينة، خارج نطاق السيطرة. قال الضابط إنه

يستنتج بأنهم استدرجوا إلى بيتي من أجل صفقة وهمية، لشراء شيء لا يعرفه، واستلبت منهم نقودهم، وقتلوا بعد ذلك.

إذا لم أكن أنا من استدرجهم، وقتلهم، من فعل ذلك؟

يا إلهي.

ارتججت بشدة، ارتججت حتى لم أعد أميز بين الوزير، وساع عادي دخل الغرفة، يحمل أوراقًا، بين ما يقوله الضابط ويقوله عقلي المشتعل، ولعنت حاستي المتمكنة بعنف، ذلك أنني كنت أعرف، ولم أسع لتعميم معرفتي، لإيقاف ما قد يحدث ذات يوم.

شمس العلا.. يا إلهي

أمه التي باعت أرضها الزراعية، كانت في الواقع تجار ماشية تعساء، استدرجوا إلى فخ، والمال اللازم للاقتران بفتاة الأسرة الراقية، كان حصيلة جريمة، لم تحدث مثلها في المدينة أبدًا من قبل.

لكن لماذا في بيتي بالتحديد، وبماذا قتلهم، ولا توجد آثار قتل؟

نقرت على رأسي عدة مرات، وعرفت. ليس صعبا أبدًا، على عبقري الكيمياء أن يعثر على المادة المطلوبة، لإزهاق روح من دون عنف، ولطالما كان متمكنًا في كل ما يتعلق بالمواد وتأثيرها، ونجح كثيرًا في استخلاص مواده الخاصة، التي لا توجد معادلاتها في الكتب.

وأنا ألتقط أنفاسي، وأعثر على صوت أستطيع أن أستفسر به، ويحميني وجود الوزير المشع، يدعمني ليسمعني الضابطان، سألت:

-وهل عثرتم على شخص من المحتمل أنه مرتكب الجريمة؟

-لا.. باستثنائك أنت.

رد الضابط بعنف.

عند ذلك تحدث الوزير، لأول مرة منذ دخلنا وكان حديثه واضحًا، حديث ابن قانون، أبًا عن جد، بالرغم من أنه لم يدرس القانون، والواقع أنه لم يقف على باب جامعة قط:

-ليس لديكم أي أدلة ضد أقاربي، وكون أن الرجال وجدوا في بيت الأستاذ، لا يعني أنه قاتلهم، وقد أقر كثير من الشهود بأنهم سمعوا صرخته، ساعة أن عثر على الجثث، أقرت بائعة قصب السكر، أسماء، إنه جاء معها في نفس الباص، وأقر سائق الباص الذي استجوب، إنه كان من بين ركاب باصه، ومن اطلاعي على وقت الوفاة التقريبي الذي حدده الطبيب، أقول لك بأن الأستاذ كان في بيتي، في تلك الساعة. فاروق كان في بيته وشهد كثيرون كانوا يجلسون معه، والأخ حليمو، لم يبارح منزله، ويذهب إلى وسط المدينة ليفاوض تجارًا أو غيرهم، منذ أكثر من عامين. سأدفع كفالتهم جميعًا بموافقة النيابة.

أقسم أن أمونة عوض السيد، ساكنة حي المساكن السابقة، كانت أغبى امرأة في الدنيا، حين لم تتزوج من طلحة، وتستمتع بثروته، وبلاغة لسانه، وأسفاره المتعددة التي جاءت بعد أن أصبح وزيرًا..لا.. لا.. أتراجع عن قسمي، فقط لأنني تذكرت الحب ووعكاته، وعذرتها. لقد اختارت من أحبته.

كنت أستمع إلى بقية كلمات الوزير، بنصف عقل، بينما النصف الآخر، أضفره حبالًا يائسة، أحاول بها أن أصطاد خللًا ولو بسيطًا في المحنة، يخرج عبره شمس العلا، عبقريًا في الكيمياء

فقط، بلا أي إضافات مهلكة، وما سينفقه في العرس، بالفعل، قيمة أراض زراعية، باعتها الأم من أجله. مع الأسف الشديد، لم يكن ذلك ممكنًا، والآن تهبط إلى ذهني مثل مطر الجليد القاسي، حزم من الذكريات، لا مجال لدحضها أبدًا، تذكرت مفتاح بيتي الذي يملك نسخة منه، منذ سنوات، أنا الذي أعطيتها له، كنوع من الاطمئنان، أن يأتي لتفقدي في البيت، إذا لم أحضر إلى المدرسة، ذات صباح، وهذا ما لم يحدث إلى أن استقلت. نظرته لتجار العملات، والهامشيين الذين اغتنوا، بالحظ، لا بالكد، والأهم من ذلك، قدرته على اختراع الأذى الكيميائي.. بحيث يؤذي من دون أن يسبب صوتًا، أو يترك أثرًا بينًا، تكتشفه معدات التشريح الكلاسيكية. يا إلهي. صديقي الوحيد، الذي ما زلت محافظًا على صداقته، ولم أعتبر أبدًا أن إصراره على مسح حذائه، عشرات المرات في اليوم، خللًا يستحق تصنيفه اضطرابًا، والآن أتمنى أن يُصنف كذلك، حتى يفلت من الحبل الذي سيدور في رقبته، لو انكشف أمره.

لكن هل من المعقول أن أفضحه أنا؟

أن أقول لهم بأن لدي حاسة متمكنة، لا تخيب، صنفت الصديق قاتلًا، ولم يخيب ظنها؟، أن أخبرهم عن نسخة المفتاح، عن النظرة التي يحملها؟ هل أفعل ذلك يا أسماء؟

لقد جررت ضياعي فيك بالقوة، في تلك اللحظة، لا لأعيد إحياءه، وهي لحظة لا تحتفي بضياع العشق، فقط أردت مقارنته، بتلك المعضلة، وكان أهون كثيرًا منها.

سأرتاح الآن قليلًا، لأنني تعبت.

أفقت، والضابط المتحري، يترنح أمام حجة الوزير، غير القابلة للنقاش، وثمة كفالة ستدفع من أجلي وأجل حليمو وكولمبس، لكن كولمبس لن يعود إلى عفراء وجعفر، للأسف الشديد، هناك مسألة البانجو الذي عثر عليه في جيوبه، ومسألة أخرى طرأت بعد ذلك، وهي أنه كان بالفعل، ذلك الملثم الذي كسر مرة، ذراع فتاة هوى في حي الصهاريج، واختلس إيرادها، ولم يستطع أحد إدانته، وكانت المفاجأة، هي أنه بنفسه من اعترف بذلك، وبأشياء أخرى مخزية أيضًا، تحت تأثير الأعراض السلبية، لغياب المخدر في دمه، وأخفقت محاولاتي كلها من أجل إسكاته. أوصاني بعفراء وجعفر، وأنا أحتضنه بعاطفة طارئة، وقال وهو يمضي برفقة مجندين، يحرسانه، بأنه سيعود قريبًا إلى بيته وعمله، ولن يقرب سكك الضياع مرة أخرى.

كنت في أشد اللهفة، لسؤال الوزير عن وضعي في بيته، وبالنسبة لهمام، وأوشك أن أبكي كلما تذكرت بأنني قد أنتزع من حي البستان، ولا أستطيع ممارسة العذاب الممتع قريبًا من منبع الرحيق مرة أخرى. والوزير أراحني بشدة، حين ابتسم في وجهي، ردد:

- خذ عدة أيام إجازة، لترتاح، وعد بعد ذلك إلى عملك.

الآن، ومرة أخرى أحس بأن أمونة عوض السيد، قد أخطأت، وأعود لأردد لنفسي بحنق: لا.. لا.. لم تخطئ، كانت تؤدي واجب الحب حين تزوجت من رجل اختاره قلبها.

-ألا توجد مشكلة؟

كنت أسأله.

ويجيب:

- لا.. أبدًا، لا توجد أي مشكلة.

لـم أكـن أملـك جرأة، أدخـل بها بيتي، بل حتـى لأقترب منه مجرد اقتراب، ومشهد تجار الماشية الميتين، يكاد يتمدد في الطريق كله، كان الشارع مزدحمًا بالفضوليين، عشرات منهم مرابطين أمام الباب، يتطلعون إلى الأفق، كأنهم ينتظرون شيئًا، وأقسم بأنهم كانوا يتحدثون عني، يخترعون البدايات، وينتظرون أن تكملها المصادفة، أعرف أن سمعة بيتي، وما جاوره من البيوت، الآن في الحضيض، وسمعة الحي كلها في المحك، وما لم تعلن السلطة أنها توصلت لطريقة القتل، وهوية القاتل، فلن يتغير شيء، لقد أُعلم أقارب تجار الماشية الراحلين، بأن لا دخل لي في شيء، وأنني ضحية استخدام بيتـي مسـرحًا فقـط، والتحريـات مـا زالـت جارية لمعرفـة الفاعل الحقيقـي، ودوافعـه، وطريقة ارتكابـه للجريمة، وتقبلوا الأمر بقليل من الرضا، وعلى مقعد بلاستيكي في الشارع العام، أحضرته عفراء الباكية من بيتها، ومحاطًا بنفر من أبناء حي المسـاكن المسـاندين، جلست لأقضي الليل، خارج بيتي.

لم أرد على أي سؤال خبيث، من تلك الأسئلة الفاجرة، التي رشقني بها البعض، وظللت طوال الليل، منتحيًا بنفسي، وللأسف الشديد، لم أكن معك يا أسماء، كنت مع الصديق القاتل، أبحث عن ثغـرة، عـن مفتـاح ضائع، عن أمل، عن رقدة هامدة للضمير، الذي ينغزني لأخبر بما أعرفه. أتذكر انشـراح وجهه، حين جلسـنا، ولا أسـتطيع أبدًا أن أتصور قاتلًا منشـرح الوجه، وهو يخطط لجريمة. لـن أبحـث عنـه، وأخـاف إن بحثـت، أن ألحـق بأولئـك التعسـاء، ومعلوماتي عن القتلة العصابيين، وهكذا صنفت شمس العلا، أنهم،

لا يتذكرون حتى صلة الدم، حين ينوون القتل، وأخاف أن يبحث هو عني ويجدني، وساعتها لن أعرف كيف أبدو صديقًا مخلصًا، من المحتم أن يشارك بكل كيانه في حفل الزفاف، وأنا أعرف كل شيء.

الآن أصوات الليل التي كنت أسمعها في السابق، مرت مجسدة كلها من أمامي، الكلاب اللاهثة، ضفادع البرك الموحلة، القطط المنتشية والتي تبحث عن نشوة، سكارى يترنحون، ولص تعس، يطارده مأزق، وكانت عفراء التي ظلت ساهرة في بيتها، تطل علينا من حين لآخر، وجعفر يتبعها زاحفًا، يبكي بشدة. مع بداية بزوغ الفجر، انفض المتحلقون من حولي، ثمة أعمال يؤدونها، وعليهم أن يذهبوا، وكنت أنتظر الصباح كاملًا لأدخل بيتي بلا رعب. أعرف بأنني لن أستطيع النوم، ولطالما كانت أيامي كلها منذ عرفتك، بلا نوم حقيقي، الآن أضيفت تلك المحنة، ومخرجي غير موجود، ولا أؤمن بوجوده، كنت بحاجة إلى معجزة كي أنجو من تلك الغيبوبة الكبرى، وأعود إليك يا أسماء، أعود أنا الحالم، الناري، الوعر في مناسك العشق التي تستحقين أن تؤدى لك.

أظنني غفوت على مقعدي، ولم أنتبه لتلك السيارة التي توقفت أمامي فجأة، إلا بعد أن هبط سائقها، وكان نفسه ضابط الشرطة الذي استجوبنا في حضرة الوزير، وأطلقنا بعد ذلك أنا وحليمو، كان يبدو مجهدًا، شاربه غير منسق جيدًا، وقد حظيت بقعة حمراء على وجهه، بحك وافر، لأنها بدت متورمة. وقف أمامي، وخاطبني مباشرة من دون أي تحية:

-عفوا يا أستاذ، هناك سؤال لم أسأله لك سابقًا: هل يوجد

من يمتلك نسخة من مفتاح بيتك؟

آخ، سؤال ضار مفاجئ، سيجعل ضميري يهتز، سؤال لم أكن أتمنى أن أُسأله، ومضطر أن أجيب عليه الآن، سلبًا أو إيجابًا، قلت بما يشبه الإلهام:

- نعم. أخي الأكبر بخاري.

-أخوك بخاري؟، هل لك أخ؟، وأين هو الآن؟.

الضابط فوجئ بلا شك، ولم يرد اسم لساكن آخر بالبيت غيري، في تلك التحقيقات المكثفة التي أجريت، ولعله يظن بأن أخي هذا يقيم في بيت آخر، ويدخل بمفتاحه، حين يزورني.

- اختفى منذ سبعة أعوام يا سيدي، ولم يظهر بعد ذلك قط.

أظنه أحبط، وبالرغم من ذلك، لم ينهزم، اقترب مني أكثر، تناول براد الشاي الذي أحضرته عفراء الساهرة، حارًا، وصب لنفسه كوبًا، كان ثمة مقعد خال بقربي، جلس عليه، سأل:

- لماذا اختفى؟، ولماذا لم يعد؟.. هل حدثت مشكلة بينكما؟

- لا.. أبدًا، كان من أعضاء حزب البعث الاشتراكي النشطين، وطاردته الأجهزة الأمنية.

قلت وأنا أتطلع إلى وجهه.

ارتبك بشدة، وبدت النجوم المفترض أنها مشعة، على كتفيه، مجرد خيوط باهتة، صدئة، ويعرف، وتعرف الدنيا كلها، إن كلمة مثل الأجهزة الأمنية، كفيلة بإرباك آلاف من ضباط الشرطة على شاكلته، هناك لا توجد تفرقة بين مدني وعسكري، بين رجل يحمي القانون، ورجل يمزقه. مملكة حكيم الدرل، وعاجني خبز الضرر. تزحزح بمقعده حتى ابتعد عني مسافة تكفي لدحر الوسواس،

واستطعت أن أستنتج بأنني هزمته، وأنه سيرحل قبل أن يكمل كوب شايه.

في تلك اللحظة، كان قدسي قرياقوس، يعبر بعربته القديمة، باعة اللبن المبكرون، يخبون بحميرهم، وكان علي أن أستيقظ أكثر، لأن شوقًا اجتاحني فجأة لطقوس عشقي، التي لم أؤدها كاملة ولا صحيحة، منذ عدة أيام.

- 17 -

ثلاثة أشهر مريرة، مرت، منذ محنة بيتي، ولا جديد على أي مستوى من مستويات الحكاية كلها.

لم يتوصل أحد إلى معرفة أسباب وفاة الرجال قط، وجاءت نتائج تلك العينات التي أرسلت للعاصمة، ومنها إلى خارج البلاد، سلبية تمامًا. لم يكن ثمة أثر لتسمم، أو جرعة زائدة من أي مكروه، أو تمزق في الأحشاء، أو حطام في القلب، وأضحى البحث عن قاتل محتمل، شبه متوقف، لأن أدوات إدانته لم تكن متوفرة، ولا تريد أن تصبح متوفرة.

ضميري الذي كان ينغزني من حين لآخر، استطعت أن أسكته تمامًا، رشوته بتفاصيل صداقتي القديمة جدًا، بشمس العلا، وما بيننا من ذكريات بعضها ثري بالفعل، وبعضها مجرد خربشات على جدار الحياة، وشمس العلا من ناحيته، لم يتوقف عن زيارتي قط، ولا عن اصطحابي إلى صيد السمك، أو جلسات حميمة، أنا أقضيها صامتًا، أتأمله، وأتخيل لحية شيطان قد نبتت في أسفل فكه، وعينين ملوثتين بأرواح الضحايا تتأملانني من حين لآخر، وأستغرب من صلابته، وشدة بأسه، وفرحه الغامر، وأنه سيتزوج حالًا، من حصيلة جريمة، لم تحدث من قبل، ولا أتوقع حدوثها مرة أخرى في تلك المدينة. وكم من مرة غزاني الرعب من مجرد الجلوس بقربه، ومبادلته الأحلام، وبت أخاف أن أتذوق

شـيئًا من طعام التسـلية الذي كان يجلبه في كثير من الأحيان، مثل الفستق المملح، وشوكولاتة جيرسي، ولب القرع الذي يشتريه من بائعـات مخمـرات في الشـوارع، أتعلل بخطب في المعدة، يمنعني مـن الأكل، ونصائـح أطبـاء، لم أزرهم حقيقة، وفي اللحظات التي أجد فيها لساني مبريًا بحدة، ومستعدًا لطرح عدة أسئلة شائكة، مثل:

كيف قتلتهم؟

ولماذا في بيتي بالتحديد؟،

وكيف تبدو عاديًا وأنت قاتل؟،

أجد نفسـي أتراجع، ولسـاني المبري جيدًا، تتكسـر نصاله، أنا خائف من شـمس العلا يا أسـماء، خائف جدًا، وأصادقه بدافع الخوف أيضًا، لأن انقطاعي عن صداقته، يعني أننى اسـتربت فيه، ولو شك للحظة بأننى استربت فيه، ستكون نهايتي، ولا أريد نهاية، ليست من نهايات حبك، أعني أرحب بالموت في كل لحظة، فقط لو كان منك ومن عشقك، وليس من اختراع مجنون عبقري.

في الأيام الأولى للمحنة، جاء شمس العلا، عدة مرات إلى بيتي، دراجته النارية من ماركة الفيسـبا القديمة، مغسـولة ولامعة، وقد جدد طلاءها، وحذاؤه الأسود كالعادة، يجابه المسح المجنون في أي لحظة، واساني كثيرًا، وسب جميع آباء القاتل المجنون الذي تجـرأ أن يقتـل ثلاثة أشـخاص دفعة واحـدة في بيت معلم محترم، وأيضًا أخبرني بأنه تصدى بكفاءة لكل الشائعات التي انطلقت في المدرسة، بأن معلم الكيمياء السابق، قاتل، وسعى بنفسه إلى قسم الشرطة، ليسجل شهادة براءة في حقي، لم يطلبها منه أحد، والتقى بأقارب المتوفين كلهم، وكانوا من منطقة قريبة من قريته، عزّاهم في

فقدهم، وشـارك في تشـييع الضحايا إلى مقبرة المدينة، نيابة عني، وهو يعرف بأنني في صدمة، ولا أستطيع أن أفعل ذلك.

في ذلك اليوم بالتحديد، سألته وأود أن أستوثق من تخمين حاستي في أمره، وكنت قد صنفته قاتلًا عصابيًا، بلا مشاعر:

- مـاذا كنـت تفعـل، لـو دخلت بيتك ذات يوم وعثرت على جثث كما حدث معي؟

رد ويـده تحـرك الخرقة النظيفـة التي أخرجها من جيبه، على حذائه النظيف أصلًا:

-لن أصرخ كما فعلت أنت، سأستريح قليلًا، أتناول عشائي، وبعد ذلك أخبر جيراني، و أذهب للشرطة.

واسـتعدادًا لطـرح سـؤال جديـد قـد يبـدو بريئًا فـي ظاهره، وواسـع الخبـث، فـي باطنـه، ذهبـت إلـى مكتبـة أبناء البلـد، التي يملكها العطا، مدير مدرسـتنا الأسـبق، في وسـط المدينة، كنت قد شاهدت من قبل، كتابًا عن أشهر السفاحين في التاريخ الإنساني، وأرعبنـي مجـرد عنوانـه، والآن أريـده بشـدة، أردت أن أقـارن بين سـكانه الوحوش، وزميلي، سـاكن صداقتي القديمة شـمس العلا. كنـت محظوظًـا حيـن عثـرت علـى نسـخة وحيـدة، أخفيتها تحت ثيابـي وأنـا أتلفـت، كأنني أرتكب فاحشـة، وأنفقت فيه نهارًا كاملًا وكانـت نظرتـي للأسـف صحيحـة تمامًـا:. جريي هيدنـك، جورج جروسمان، فريتس هارمان، كارل دينكي، والعشرات منهم، في كل بقعة بالعالم، ووردت سيرهم كاملة في الكتاب، جميعهم يتسمون ببرودة الأعصاب، وأنهم لم يكونوا مشـردين، ولا عالة على أحد، وفيهم أطباء، وتقنيون، وأصحاب وظائف براقة، ويمكنهم أن يقيموا

صداقات، وأن يحبوا ويتزوجوا، ويعيشوا سعداء، بصحبة عائلاتهم، لكن دائمًا ثمة خلل ما، في سلوك أي منهم، هناك من كان يشتري حمالات صدور النساء، يخزنها في بيته، هناك من تشتعل غريزته الجنسية، على صراخ طفل حديث الولادة، هناك من يعشق نواح النائحين على ميت، وفوبيا اتساخ الحذاء ومسحه عشرات المرات في اليوم، خلل كبير، عند شمس العلا.

سألته بعد ذلك، حين التقيته، كأني أسأل عن خيال بعيد:

-هل تظن بأن الذي قتل أولئك الرجال في بيتي، يمكن أن يعيش سعيدًا، بعد ذلك؟

كان في مرحلة وضع طبقة جديدة من الطلاء اللماع على حذائه، وكنا في كافتريا مراحب، نتناول غداء خفيفًا، وكانت المدارس قد أغلقت، ولم يبق على موعد زفافه من الفتاة الراقية، سوى عدة أيام.

رد على الفور، ويده ما تزال مشغولة بالتلميع:

-وما الذي يمنع ذلك؟، لقد نفذ مهمة يعتبرها حيوية من وجهة نظره، وأكيد أنه نفذها ببراعة يستحق عليها السعادة.

أضاف وعيناه في عيني مباشرة:

- لكن التحقيق أثبت أنهم ماتوا ميتة طبيعية.. أليس كذلك؟

- نعم.. نعم..

قلت وأحس أن حلقي يابس، وثمة وجع طارئ في أمعائي.

وفي حفل زفافه الذي حضرته بعد ذلك، وأقيم في قاعة صفاء الفاخرة، بناء على رغبة العروس، وحيث جاء إليها العروسان بعربة مرسيدس سوداء مزينة بالورود، استأجرت خصيصًا من وكالة عشم

الله، أول وآخر وكالة للسيارات بالمدينة، صعدت إلى المسرح كي أهنئه، كان سعيدًا بشكل لا يصدق، والمغني المرموق الذي أحضره من العاصمة، كان كفيلًا بملء الليلة كلها، وارتجل بكفاءة، أغنية اسمها "عاصم، وتيسير"، أهداها للعروسين، وعروسه فتاة الأسرة الراقية، حسناء في كل شيء، شدني بغتة من قميصي، حتى قارب وجهي وجهه، أخرج من جيبه مفتاحًا قديمًا صدئًا، دسه في يدي، وهو يقول من بين ضحكات خلتها ضحكات وحش:

- مفتاح بيتك يا صاحبي. آسف جدًا.

أضاف فيما يشبه الهمس، بعد أن عرفني بزوجته السعيدة:

- كانت المادة في إحدى شموعك، وقد نظفت المكان.

- أي مادة؟

هتفت وقد تشوش عقلي:

-تلك التي استنشقها الأغبياء. التيجاني وقسم الله والنعيم.. أغبياء حقيرون، لم يكونوا يستحقون الحياة.

بصق على الأرض بعشوائية، لا تلائم طقس الرقي الذي هو داخله، وغمز لي بعينه وضحك.

لن تصدقي يا أسماء بأن حصيلة صداقة اثني عشر عامًا، بيني وبينه، قد فرت في تلك اللحظة، وأيقنت بما لا يدع مجالًا للشك، بأنني أصبحت تحت رحمة مرحلة جديدة، من صداقته، ولو صاح ضميري أو ظل هامدًا على حاله، فالنتيجة واحدة.

ابتعدت عنه، وأفكر في تلك المادة التي استنشقها التعساء وماتوا من جرائها، ولا أستطيع الوصول إلى نتيجة، لعلها أول أكسيد الكربون، الغاز الذي يحتل مساكن «الهيموجلوبين» في

الـدم، ويمكـن أن لا يتـم التوصـل إليه. ولكن كيـف حضَّره، وهو أصلًا ينتج من الاحتراق، ويميت في الأماكن المغلقة، وكان بحاجة لتقييـد الرجـال كـي يميتهم مختنقين، وهو ما لم يحدث. لا.. ليس أول أكسيد الكربون، ولا مادة أعرفها، تلك التي أعجزت مختبرات الدنيا.

اضطررت إلى حضور الحفل حتى النهاية، وأنا أتصنع البهجة، ولا أجيد تصنعها تمامًا، أرقص على المسرح، وأتعثر، والأسوأ من ذلك، أنني اضطررت إلى المبيت مفترشًـا أرضًا صلبة، أمام فندق (أوسوك)، أحد فنادق المدينة الجيدة، والذي قضى فيه ما تبقى من ليلتـه، قبـل أن يسـافر صباحًا إلى العاصمـة، ومنها إلى أثينا، حيث يقضي شـهر عسـله، وكنت أيضًا أسـبقه إلى محطة القطار، أنحني ببذاءة، وأنا أودعه بحرارة، وفي داخل نفسـي، أتمنى أن لا يعود من السفر أبدًا.

لـم أكـن خائفًا على المرأة الشـابة التـي تزوجته، وأعرف أنه لن يضرها، فما دام قد غير اسمه من أجلها، وما دام قد أضر بثلاثة أبرياء من أجلها، فلن يضرها. هذا هو نسق القتلة العصابيين، كما عرفته من ذلك الكتاب المرعب.

الآن أملي الوحيد، أن ينسـاني شـمس العلا بمجرد تقرفصه على القفص الذهبي، ينسـاني إلى الأبد، يتركني أعيش لأعيشـك، لأسترجعك، لأجعل من طيفك الغالي ممحاة أزيل بها آثار الموت من بيتي، الكوابيس التي باتت تغزوني في كل ليلة، وتفسـد علي أرقي المضيء، اللعنة التي كانت ما تزال ممسكة ببعض سكان حي المسـاكن، حين يفرون من وجهي، وتلك المهمة الإنسـانية البحتة، وهي أن أخبر سـعادة الوزير طلحة، أن يسـعى للإفراج عن فاروق

كولمبس، وقد غدت عفراء مثلًا أخاذا لكآبة النساء، أسمعها تبكي باستمرار، ولا أستطيع دخول بيتها بحكم غياب الزوج، ولا تستطيع هي أن تدخل بيتي لأن ثمة أعزب، كان متهمًا في جريمة، يقيم بداخله.

المستثمر الوطني قدسي قرياقوس، اختفى فجأة من حي المساكن، بعد أن باع روضة الأطفال القريبة من حينا، وواحدة أخرى في وسط المدينة، لمستثمر جديد، ظهر فجأة في المدينة، وقد ترك مريا البيضاء معلقة في الهواء، وعادت تتكسر وتذوب في الشوارع من جديد، سمعنا بأنه عُين سفيرًا للبلاد في «نيكاراجوا»، ولا أدري لم اختارت تلك الإشاعة، نيكاراجوا، في أمريكا الجنوبية بالذات، وقليلون من سكان حي المساكن، من سمع بها، وربما لا يوجد من سمع بها على الإطلاق. قيل أيضًا، إنه تلقى تهديدًا من الشيخ «أبو الصاحب»، الذي ما زال طليقًا، لا يعرف طريقه أحد، وفر من المدينة بدافع الخوف، لكن ألبيرت الحداد، أخبرني بأنه في أزمة، وفضل أن يبتعد بنفسياته المحطمة حتى ينتهي كل شيء ويعود. ولم أستطع أن أخمن، و برغم كل ما أبدته حاستي المتمكنة، من تعاون حتى الآن، إن كان صادقًا أم كاذبًا؟. الشيء الذي اكتسبه الحداد مجددًا، والحقيقة أنها كانت استعادة لشيء كان عنده وفقده، هو أنه عاد لتتبع ذوبان أخته، وعراك الناس في الشوارع.

أذكر يا أسماء، ذلك اليوم الحار الرطب بشدة، أذكره لأن عيني ما زالتا تؤلمانني، ووجهي المشوه الذي شاهدته، بتضاريس لم تكن عندي ولا أظنها ستكون، ما زال متمثلًا أمامي بشدة، خرجت من بيتي قاصدًا موقف الحافلات، لأستقل واحدة إلى

وسط المدينة، وأخرى إلى حي البستان، بعد أن أنشأت السلطة، خطًا للمواصلات العامة، لذلك الحي الراقي، ولم يكن ثمة واحد من قبل، وقد أخبرتك مرارًا بعربات الأجرة التي كنت أستقلها، وسائقيها غير المرشحين لرئاسة النقابة بسبب الحسد، وأسكتني صاحب الكرسيدا النظيفة، الذي كان هو الرئيس.

شاهدت وجهي مرسومًا باستفزاز، بلحية مضحكة، وأنف مقزز عليه بقايا مخاط، وأرتدي ملابس ممزقة، وبجوار الرسم كتب بالفحم: المجنون.. عاشق أسماء. شاهدته على حوائط بيتي، حوائط بيوت الجيران، وبعض الأبنية الأخرى التي شاهدتها بعد ذلك، في أحياء أخرى، قريبة من حي المساكن، أثناء عبوري لها بحافلة الركاب. فضحني سكان حي المساكن يا أسماء، صيروني مجنونًا قذرًا مرسومًا على الحوائط، كتابًا مدنسًا يقرأه الكلب وماشي الدرب، ونسوا أنني كنت من وجهاء الحي وما أزال، ولن يعرفوا أبدًا، إن العشاق الخالدين، هم الذين تعشش سيرهم في النهاية، وترحل سير أولئك الذين، صنفوهم عارًا. أستغرب من ذلك كله، أستغرب من الذين لم يبصروا ثلاثة تعساء، يساقون للموت في بيتي، وأبصروا العشق في عيني، في سلوكي. لا هذا لم يحدث، هناك من تشدق بالسر، هناك من حرض، من روج اسم المعشوقة، وتذكرت فجأة فاروق كولمبس، ومحاضرته الركيكة عني التي ألقاها في ركنه، لكن ذلك كان منذ مدة، ولا أعرف ما الذي قفز بها الآن إلى أذهان أولئك الذين رسموني.

كنت أمام حلين، أن أترك تلك المدونات الشوارعية، كما هي، حتى تنقضي مدة تداولها، إن تداولها أحد، وينتهي الأمر، أو أسعى لإزالتها بشتى الطرق. كان وجودها سيقضي على ما تبقى

من أعصابي، التي كنت أدخرها للقائك، وللأسف لم يبق من ثباتي شيء كثير.

لن تتخيلي ما حدث بعد ذلك يا أسماء، بعد أن ذهبت إلى حي البستان، اعتذرت عن تدريس همام في ذلك اليوم، لسبب طارئ وعدت. لقد كانت عفراء، جارتي، برغم أنها من نبهت الزوج العربيد، بأعراض عشقي أول مرة، وبرغم أنها لم تنقطع عن البكاء قط، من يوم تلك المحنة، إلا أنها كانت عونًا كبيرًا، وقد قضينا أمسية سخيفة، رافقنا فيها صاحب عربة كارو شهم، نغسل جدران البيوت من أدران لعبة خرجت تمامًا عن حد اللياقة. وما كنت أتوقع أن يحدث ذلك في حي المساكن.

أتذكر محي الدين فجأة يا أسماء. ألماني القديم، صائد السائحات المستهتر، الروائي بلا رواية، و«أبو الصاحب» الجديد الذي لم أعرف قط أسباب تطرفه فجأة، وما كان في نظري من القابلين للتطرف، أتذكر ضياعه المختلف، ولا أستطيع أن أقترح مكانًا ربما يوجد فيه الآن، هو ورفيقه الأزهري، طباخ الأتراك العنيف، الذي تطرف أيضًا، لقد سمعنا بأن أعضاء تنظيمه التعساء، قد رحلوا إلى العاصمة، وعوقبوا بأحط العقوبات، بعد محاكمات سريعة، وسمعنا أن أبا الصاحب، قد لملم أطرافه مرة أخرى، ويستعد لقتال السلطة بحق، منطلقًا من إحدى الدول المجاورة، وسمعنا أيضًا أنه في سبيله لنيل الشهادة، بقتال الشيوعيين في أفغانستان، والذي حدث بالفعل، أن لا ألماني « أبو الصاحب» ولا الأزهري، قد ظهرا في المدينة، حتى لحظة تذكري هذه.

- 18 -

كانت علاقتي قد توطدت ببيت الوزير طلحة، بصورة مشرقة، برغم قصة الموتى الثلاثة في بيتي، التي لم يسألني عنها أحد داخل البيت. لم أعد ساكن حي المساكن الشعبي، الذي يلقي درسًا لهمام في غرفة منعزلة، ويمضي متسكعًا في حي البستان، على أمل أن يقتنصك طيفًا أو حقيقة، ذات يوم، وما عادت «ليلك» الفخمة، الممسكة بجمالها القديم، لا تفلته، تتكئ على الباب حاملة عصيرها الغامض، تسأل سؤالًا أو سؤالين عن همام وتمضي إلى عالم لا أعرفه، وبالكاد أستنشق رائحته.. وكعادة البيوت في البلاد كلها، حين تطول الإطلالات الغريبة بين أركانها، تتأقلم، ولا يصبح الغريب غريبًا بأي حال من الأحول.

كان بإمكاني الآن، أن أتمشى في البيت، إذا أردت، أن أطلب طعامًا، إن كنت جائعًا، أن أنهر خادمة كسولة، أو أشكو من اتساخ المرحاض، إن وجدته متسخًا، وكانت ليلك الآن، تدخل تلك الغرفة المنعزلة، تجلس على مقعدها بارتياح تام، وتحاورني في كل ما يخطر ببالها، وما لا يخطر ببالي، ولدرجة أنني أوشكت في أحد الأيام أن أبكي أمامها بحرقة أيامي كلها، وأطالبها علانية أن تساعدني في البحث عن أسماء. حدثتني عن أبيها الراحل بافتتان، وعن أمها الراحلة أيضًا، بكثير من العرفان بالجميل لها، لأنها أنجبتها، عن أخيها الوحيد "والي" الذي يعمل في منظمة دولية،

تعنى بشؤون لاجئي الحروب في أفريقيا، ومقرها نيروبي، وأنه قادم عما قريب من أجل أن يتزوج بواحدة من حسناوات حي البستان، ليست من أقاربهم، ولكنه شاهدها في زيارته الماضية في حفل عرس إحدى قريباتهم، وجاءوا من العاصمة لحضوره، لأن طلحة كان وزيرًا في ذلك الوقت، وتمت خطوبتها له، بعد أن وافقت الفتاة، ووافق أهلها.

أحسست بدوار عنيف في ذلك اليوم، وبأن قلبي يخفق بشدة، واستغربت من دواري وخفقان قلبي.

لماذا أتخيل كل فرح قادم، ضدي؟، لماذا أتخيل حسناوات حي البستان جميعهن أنت؟.

هنالك آلاف الخامات المشرقة، من مختلف الأعمار، شاهدتها، تتمشى أو تضحك، أو تتسوق، أو تخيط الثياب، أو تمضي أمسياتها الناعمة في الحدائق، عشرات الجميلات، كلهن يصلحن حبيبات دافئات، وخطيبات، و زوجات مستقبليات، لرجل يعمل في منظمة دولية، وحتى لو قالت زوجة الوزير بأن اسم تلك الحسناء: أسماء، فليس من حقي أن أتهيج، أن أغير، وأفكر على الفور بأنها نطقت اسمك. فكرت أكثر من مرة، ولم أستطع أن ألغي توتري وعدم ارتياحي، الذي ظهر جليًا، وجاءتني ليلك بكوب ماء وقرصين من دواء مسكن، لأنها شاهدتني أضغط على رأسي من دون أن أشعر، وظنتني فريسة لصداع مفاجئ. وأصرت على أن أرقد قليلًا لأستريح، ساحبة وراءها الطفل الكثير الحركة.

تلك الأيام، كانت أكثر الأيام التي آلمني فيها حبك حقيقة، بعد أن انتهيت من محنة شمس العلا، ولم يعد ثمة زوار ميتون، يضطربون في أحلامي، ولا امرأة لاهثة، تتصبب نشاطًا في بيتي،

تغسل طبقًا متسخًا، تغير ملاءة على سرير، أو تكنس أرضية ملأها التراب، وقد خرج كولمبس من السجن أخيرًا، بجهود بذلها الوزير طلحة، ولم أستطع إخباره شخصيًا، لكن ليلك أخبرته، واجتهد.

لا اذكر متى دخلت بيت فاروق أول مرة، بل لا أذكر متى دخلته أصلًا، وكما أخبرتك من قبل، لم يكن الجار اللصيق جديرًا بتواصلي في يوم من الأيام، ودائمًا ما أعتبر ثرثرته الركيكة، في ركنه المسمى ركن محاضرات الحياة، تفاهة، لا يحضرها سوى تافهين، وحتى بعد أن تزوج، واقتحم بعفرائه التي جاء بها من مدينة أخرى، بيتي، لم أزره، وتلك الحلوى التي اشتريتها بمناسبة قدوم جعفر، سلمتها له أمام الباب وانصرفت.

اشتريت صندوقين من شراب البيانكا الغازي، المصنع محليًا، والذي كان فاكهة الشعبيين المحببة في تلك الفترة، حملتهما إلى بيته وفوجئت بأن بيت جاري، بالرغم من ضيقه، ومشابهته لجميع بيوت حي المساكن، إلا أنه في غاية النظافة. ثمة أوانٍ من الفخار المنقوش، تحمل أزهارًا يانعة، مقاعد جيدة من الجلد، في الصالة، وفوط نظيفة على طاولات صغيرة، منتشرة في المكان. إنها بصمة عفراء التي لا حظت بأنها ابتدأت تلهث من جديد، وقال كولمبس ولم يكن يضحك، لأن الشهرين اللذين قضاهما في الحبس الاحتياطي، أطارتا إدمان المخدر من دمه، وبالتالي أطارتا المجون الذي كان يتسم به، ويظهر في ضحكاته، قال: إنها في الشهر الثالث، حملت مباشرة، بعد شهرين من ولادتها.

الآن أنت في ذهني كاملة توجدين، أحدثك متى ما أردت، أغني لك الحب حزينًا، وفرحًا، أسلمك أشواقي، وأنتظر أن أستلم أشواقك، ولا أنسى أن أخبرك، بأنني فوجئت في أحد الأيام، بزيارة

لم أكن أتوقعها، من شمس العلا الذي أكمل شهر عسله في أثينا، وعاد إلى المدينة، مرة أخرى. لم يكن على دراجته القديمة، ماركة فيسبا، وكان يقود سيارة صغيرة، وقديمة بعض الشيء، من ماركة بيجو الفرنسية. أوقفها ملاصقة للباب، بحيث رأيت مقدمتها، قبل أن أراه وأنا أفتح. احتضنني بقوة، لم يسبق أن احتضنني بمثلها، ولاحظت لأول مرة، بأنني أجابه ثورًا، لا يدل عليه هزاله الشديد. دفعني إلى داخل البيت، أو هكذا خيل لي، ومن المؤكد أنه انتبه إلى رعشتي وعرقي السخي، ومن المؤكد أنه يدري بأنني في المرحلة الجديدة، مرحلة أنني تحت رحمة جنونه العصابي. عشرات الأدلة، استخرجتها من كتاب الرعب ذلك، وما زلت استخرج، وأمزجها بذكرياتي المتعلقة به، وأجدها مطابقة، وكنت قد تذكرت هياجه في أحد الأيام، وتشنج يديه، حين سمع مناديًا في الطريق، وكنا نمشي معًا، يصيح: يا فاطمة. استدار، ومشى عدة خطوات نحو المنادي، ثم عاد، وكنت أرى بوضوح دموعًا كثيفة، تتراكم في محجري عينيه، سألته عن السبب، فرد : كان ينادي باسم أمي في الشارع.

سألته ونحن داخل البيت:

-كيف كان شهر عسلك في أثينا؟.

-قمة الجمال، العقبى لك حين تقترن بأسماء، سأدلك على كل منتجعات أثينا، فقد أصبحت خبيرًا بها. سيعجبك الأكروبولس، والمنظر الرائع للمدينة من قمة تل فلوبابو.

لم تكن ساعة غيرة، لأغير من نطقه لاسمك يا أسماء. كانت ساعة خوف مضاعف، وقد حرصت على أن أبدو بعيدًا عنه بمسافة تكفي لتلافيه إذا ما جد طارئ، وكان باب الصالة مفتوحًا، تركته

هكذا عمدًا، وبحركة تبدو كأنني نسيت إغلاقه. وتلك المعالم التي بات يعددها بعد ذلك، لم تكن لترويني، وليس من العدل أن أفكر فيها، وعندي ما هو أكثر جدوى وأفكر فيه بانتظام.

-وكيف حال عروسك شيماء؟

كنت أسأله. وما أزال بلا اتزان:

-تيسير يا أخي..

صحح الاسم، ولم يضف شيئًا.

خلاصة تلك الزيارة التي استمرت أكثر من نصف ساعة، تبادلنا فيها ذكريات مضطربة، سألنا وأجبنا عن أسئلة لا ترقى لمستوى الأسئلة والأجوبة، وساندني فيها فاروق لحسن الحظ، بعد أن أتى فجأة، إن شمس العلا لم يأت بضغينة، كبيرة كانت أو صغيرة، ولا حتى ليذكرني بالسيف الخفي الذي علقه على رقبتي. كان مجرد زائر عصابي، مجنون تذكرني فجأة بعد أن عاد من شهر العسل، وجاء ليزرع أمسيتي خوفًا ويمضي. لقد ذكر بأنه سيهجر التعليم الحكومي مثلي إلى الأبد، وقد يسافر قريبًا إلى بلد آخر، ليعمل في أي شيء غير التعليم، وتمنيت في داخلي بشدة، أن لا تكون ثروة تجار الماشية التعساء، قد انتهت في التبذير، حتى لا نسمع عن محنة جديدة، ورددت لنفسي في السر أيضًا، بأنني لن أسكت إذا ما حدث شيء جديد، سأسعى لأوقظ ضميري بنفسي، حتى لو كان في غيبوبة.

حين انصرف كانت ثمة كآبة من نوع آخر، غير تلك الرائعة التي اعتدت عليها، تتلاقح في داخلي بشدة، كآبة من الدنيا كلها، من فشلي وعدم مقدرتي العثور على طيفك، أو ما يدل على وجود

طيفك. لعلي أحسنت الظن في حاستي، وكانت تافهة، لعلك في مكان آخر غير البستان الذي بت أعرف تراب أرضه، وشاهدت معظم خاماته، ولم أشاهدك. ومن غير المعقول أن تقترب ذكرى لقائي بك من دون أن يكون ثمة لقاء آخر، من دون حب متطرف، يعادل ضياعي.

في الصباح سأعيد رصد الأحياء الراقية من جديد، لا.. لا.. مستحيل أنت في البستان، وكانت امرأة من سكانه تناديك لتذهبا معًا في ذلك الخميس المختلف، وقد كانت مفتاحًا سلسًا وأضعته.. أنت في البستان يا أسماء، ولكن في أي روضة من رياضه؟.. أنا الآن أبكي.

تلك الليلة وأعذريني على كل شيء يا أسماء.. أعذريني، لم أعد قادرًا على الوعي ولا على فقدانه، بكيت بلا رغبة في دحر البكاء، وفي النهاية انهزمت بجدارة، وتوقف البكاء. ولبستني الحالة التي كنت أعرف جيدًا، أنها ستلبسني ذات يوم، ولعلي كنت أنتظرها:

أنا المرحوم.

الميت المعنوي حاليًا، والفيزيائي قريبًا جدًا، أقرب مما تتخيلين.

أسرعت إلى دفتري حيث أكتب 366، وقعت باسم المرحوم على آخر فقرة كتبتها. وقضيت ليلي سياحة مرة في وسائل الخلاص.

- 19 -

صدمت بشدة، حين أتى "والي"، شقيق ليلك، موظف شؤون اللاجئين، الذي سيتزوج في الأيام القادمة، من إحدى حسناوات حي البستان.

كان والي قصيرًا بعض الشيء، ممتلئًا بصورة مخلة، وعلى صدره شبه العاري، والمزين بسلسل من الذهب، آثار حرق قديم، ربما بتماس كهربائي، أو سيجارة متقدة، وكان يدخن بلا توقف، والسجائر التي يحرقها، من نوع غريب اسمه "بادول"، لم أره أو أسمع به من قبل. وقد أغاظني بتحركاته المشتعلة في البيت، بنفخه للدخان الكثيف على وجهي، كلما رآني، باستباحته لشعر خادمة مبعثر، وشده، بتغلغله في ما سماه الرتابة، وكلاسيكية البيوت الراقية، ليحاربها، ويحول بيت الوزير الرصين إلى بيت صخب، تعلو في أركانه الموسيقى.

من أول يوم رأيته فيه، نويت بشدة أن أتحاشاه، أن أظل بعيدًا بكآبتي الجديدة التي سمتني المرحوم، وكنت قد ارتديتها صراحة، لا أنزعها إلا مجبرًا، وفي الساعات القليلة التي أقضيها برفقة همام، ولا أدري لماذا يصرون على أن أستمر في تدريسه، وقد أنجز امتحانات صفه بجدارة، وبدأت عطلته السنوية، أسوة بغيره. لعله حرص من تلك الأسرة أن يظل الولد مقيداً إلى حصص الدراسة باستمرار، أو لعلها تعليمات من سيادة الوزير، أن أكون

موظفًا عنده طوال العام.

"والي" لم يحترم عزلتي، ولا أقام وزنًا لكآبتي، ويدي شبه الميتة التي أمدها لتحيته، وعدم اختلاطي به، في جلسات الشواء التي يقيمها في الحديقة، ويجلس فيها الوزير وعائلته، وبعض الأقارب الزائرون أحيانًا، ذهب عدة مرات لرؤية أهل الخطيبة، ومحاولة رؤيتها شخصيًا، وكانت الطقوس الوطنية، تقضي بدسها عن الزوج المرتقب، حتى يوم الزفاف، إضافة إلى أنها تعدل في تلك الفترة التي تسمى "الحبس"، تعدل جسديًا بالتغذية، ونفسيًا بالاستماع لتجارب من سبقتها من الفتيات، وجماليًا بإخضاعها لكل أنواع مثيرات الشبق المعروفة في البلاد، كان يعود متذمرًا في كل مرة، يهدد بإلغاء المشروع كله، إذا ما استمر الحبس، ثم ما يلبث أن يعود إلى طبعه المهرج.

كان همام سعيدًا بوجود خاله، وليلك سعيدة جدًا بتصرفات أخيها، غير المطابقة لتصرفات رجل على وشك الزواج، وطلحة الوزير، إما خارج البيت في نشاط تجارة العملة الذي استعاده، أو بالأحرى، انغمس فيه أكثر، لأنه لم يفقده في أي يوم منذ عرفه، وإما في غرفة نومه التي لم أستطع أن أتكهن أبدًا بما يوجد داخلها.

من ناحيتي، أقلعت تمامًا عن التسكع في حي البستان، لم أعد أنجذب لشوارعه الواسعة، أو حدائقه الخضراء، أو تغريني خاماته بالتدقيق المتوعك فيها، لاستخلاص عطري الغائب، ولم أندهش أبدًا من ذلك السلوك. تلك كانت حالة العشق الأخيرة التي قرأت عنها كثيرًا، أن يصل العاشق إلى مرحلة الموت المعنوي، أن ينتهي ككائن حي، ويعيش ما يتبقى من عمره ميتًا. تلك الساعة لن تحييه

المحبوبة، حتى لو بادلته الوصال، قد يسعد بوصالها، قد يضحك أو يبكي، أو يحتضن، أو يجن أو يمسك رأسه الفرح، ويحطمه على أي حائط، لكنه لن يعيش الحياة العادية التي يعيشها الناس كلهم.

كانوا يتحركون في البيت بتعجل، وخارجه، بتعجل أشد، وأعرف أن موعد عرس الأخ سيقام في الأسبوع القادم، في صالة صفاء الراقية، نفس الصالة التي أقيم بداخلها عرس شمس العلا، وحضرته حتى آخر قطرة في ليله، بدافع الرعب كما أخبرتك. وكانت من الصالات الجديدة، افتتحتها صفاء آدم، أول سيدة أعمال في المدينة، وأصبحت متكأً لزفاف الفخامة.

كانوا يتحدثون عن الترتيبات الأخيرة، وسمعت ليلك مصادفة، وأنا مار، تسأل امرأة من أقاربهم كانت حاضرة:

-هل تعتقدين بأن أسماء ترضى بالحياة بعيدًا، في كينيا؟

لم ينقبض قلبي، لأنني كنت قد مت معنويًا، كما تعرفين، والسؤال الذي سألته كان بدافع الفضول، ليس إلا:

- هل اسم خطيبة والي أسماء؟

- نعم

ردت ليلك، وأشرقت بابتسامة، لم تضف جديدًا إلى موت رجل ميت.

قبل أن تقتلني الكآبة، أو قبل أن أصل إلى حالة العشق هذه، كنت سأعرق بغزارة، سأسقط صريعًا، سأعود من صرعي لأدقق في المسألة بشراسة، حتى لو اضطررت لسؤال الخادمات، اللائي يعرفن البيوت بدقة، ويستطعن أن يصفن حتى عدد مرات الشخير التي يشخرها صاحب البيت حين ينام، وكم مرة تسقط الزوجة

محمومـة فـي أحضـان الـزوج. كنت أسـتطيع أن أتحقق بسـهولة، إن كنـت أنـت أسـماء، التـي سـتزف لـلأخ والـي، أم أنها أسـماء أخرى من خامات حي البسـتان، ومنعني موتي من التلصص على حافظتـه، التـي أعـرف تمامًا أنها تحوي صورة لخطيبته، بالرغم من أنها كانت أمامي، مهملة بلا رقيب في مرات كثيرة. وحين التقيت الوزير طلحة، في إحدى المرات وجهًا لوجه، وكان عائدًا من سفر، أخبرتـه بصـوت الجثـة المعنوية، جثتي، إننـي أعتذر عن العمل في بيته، وأتمنى أن يعفيني، ويبحث عن بديل.

الوزير لم يمرر ذلك الاعتذار، وأراد أن يستوضح أكثر:

- ما السـبب الذي سـتتركنا من أجله؟. أظننا لم نقصر في شيء.

أجبته، وبنفس صوتي الذي ينبع من القبر:

- لا لـم تقصـروا سـعادتك، وأنا أشـكرك كثيـرًا على البدلة الجميلة التي أهديتها لي لأحضر عرس والي، وسلمتها لي حرمكم.

- لم تقل ما السبب إذن؟

كان مصرًا على الاسـتمرار في الاسـتيضاح، ولم يكن للجثة مبرر، رددت:

- لا أعرف كيف أخبر سعادتك، لكنك ستعرف ذات يوم.

أضفت بأنني لن أحضر في الغد، ولكني سأحضر في الأسبوع القادم، لأبارك لكم عرس والي، وأحضر حفل الزفاف.

وأيضًا لم يبد الوزير متحمسًا لأن تغادر جثتي بيته، طلب مني أن أتوقف عن تدريس همام، إن كنت قد تعبت، ولكن يمكنني أن أحضر في أي وقت أشاء، وأن أشاركهم تجهيزاتهم للعرس، وهذا

شيء لم أكن أنوي أن أفعله.

على صعيد الكآبة والموت، والجثة التي ترتديني وأشم رائحة تحلل أعضاء الشعور فيها، جنبًا إلى جنب مع روح العشق التي تقاوم لتظل حية، كان الأمر مختلفًا، توقفت عن الأكل والشرب، إلا بالقدر الذي يبقيني ضائعًا، حتى تحين ذكرى تعلقي بك، ولم يبق من موعدها الكثير، وفي ليل الأرق الذي كان مضيئًا بك وحدك في السابق، كانت ثمة أفكار دخيلة، تتقاذفني وأستجيب لتقاذفها من دون رغبة أكيدة في قهرها. جمعت من تلك الأفكار ما يكفي لموت قبيلة عشاق كاملة، وكنت وحدي تلك القبيلة. فكرت في السم، وفي الحبل المدلى من سقف الغرفة، وفي النار التي تأكل الأخضر واليابس، وأسلاك الكهرباء العارية، وحتى في الصديق العصابي شمس العلا باعتباره أداة موت فيزيائي رحيم كنت أحتاجه بشدة.

وفي تسوق مرعب للغاية، قضيت فيه يومًا كاملًا، أقلب في سلع الموت بلا أي إحساس بأنني أقلب رعبًا، كما كان سيحدث في السابق، اشتريت حبلًا مجدولًا بعدة طبقات،من محل متخصص في نسج الأسرة، وستين حبة من عقار «الديازبام»، الذي أعرف تركيبه الكيميائي جيدًا، وعرفت من قراءات مرعبة متلاحقة، أنه أنهى حياة عشاق كثيرين، ونجمات سينما، ومغنين، استاءوا من الحياة، وأرادوا وداعها. وبحثت عن شمس العلا في كل مكان كان يرتاده معي فيما مضى، ولم أجده. كان قد انقطع عن زيارتي تمامًا، ولا أعرف أين يسكن حتى أباغته، والمدرسة مغلقة في الإجازة الصيفية، كما أخبرتك.. كنت سأخبره بلسان جثتي هذه المرة، بأنني سأفضحه علنًا، وأساهم في لف حبل المشنقة، حول

رقبته، وأنتظره بعد ذلك في بيتي، لأسلمه الشموع التي يحشوها بغازه المميت.

وفي مكتبة العطا، التي شملها تسوق الموت، توقفت طويلًا عند الكتب التي كانت تتحدث عن فناء الجسد، وآلية بقاء الروح محلقة، لم أشتر كتابًا، واشتريت الأمل، في أن تظل روحي محلقة في حي البستان، حيث عشقت، وترهلت عشقًا، وانتصرت في النهاية لإرادة الضياع الكامل، ذلك الموت المعنوي الأخاذ.

أخبرني كولمبس وكان يتربص بساعة خروجي أو دخولي البيت، بعد أن بت أهمل تطفله كما قلت لك، ولا أسمح له أن يزعج جثتي، إن عفراء تحس بأن الذي في بطنها، فتاة، هذه المرة، ستسميها أمل، وسخرت جثتي من أمله، نحن من يخترع الأمل، نحن من يطعمه ويسقيه، ويبتهج برؤيته بغلًا سمينًا في حياتنا، وقد كان أملي بغلًا، رعي بنفس تلك الشروط، فقط أحسست بأن الوقت لتسميته لا أمل، قد حان وذبحته.

قلت له: فلتكن فتاة، ولتكن أملًا، هذا لا يهمني في شيء، وحذرته من إخباري بأي خبر آخر، يخصه أو يخص غيره، لأنني ما عدت أحمل أذنين تسمعان. كان كولمبس واعيًا، ولا يضحك، ولم يقترب من حي الصهاريج مرة أخرى بعد خروجه من الحبس، لذلك كنت أبدو في نظره غريبًا، وتركني من دون أن يضيف.

كانت أمامي عدة أيام ما تزال لأقضيها في الموت المعنوي وحدي، وابتدأت في إنفاقها بإسراف، زرت مقبرة المدينة الواقعة في طرف بعيد، حيث يرقد أبي وترقد أمي، ذهبت إلى سينما الشعب، ولم أذهب إليها منذ سنوات طويلة، لأحضر شريطًا سينمائيًا، اسمه «كفن الميت»، فر معظم مشاهديه، من اللقطات الأولى، وبقيت

حتى النهاية. تلكأت كثيرًا أمام مشرحة المستشفى، أختلس النظر إلى الداخل، وأحشر أنفي في جوها المشبع برائحة الموت، حتى أعتاده.

باختصار شديد يا أسماء، أصبحت بهذا الموت المعنوي، واحدًا من أخلص أصدقاء الموت الفيزيائي في الدنيا.

وإمعانا مني في جعل تصرفات الجثة، سرية للغاية، وأكثر سرية، مما كان عشقك الكامل، غيرت مزاليج بيتي، واخترعت صممًا متعمدًا، حتى لا أستجيب لنقرات فاروق أو امرأته اللاهثة، حين ينقرا.

لم أذهب لعزاء أسرة قريبي عبد القادر، بوفاة أخته المراهقة التي عثرت أخيرًا على ممر ممهد بين الموت والحياة، وعبرته، محترقة بالنار هذه المرة، ولا ذهبت لأبارك لعبد القادر، الذي أزعجته في شهر عسله، مولوده الأول وكان ولدًا سماه، معمر، على اسم المجنون العصابي، الذي يحكم ليبيا، وصار اسمه للأسف الشديد، من موضات تلك الفترة، من دون تدقيق في مستقبل طفل، ربط بحاكم لا تعرف درجة سماحته من بؤسه.

أنا لي موضتي الخاصة جدًا، وهي أن أقص جناح الحياة، بقدر ما أستطيع، وأذهب عاشقًا لن تصل رسالته إلى من عشق في يوم من الأيام.

366

كتبت تحت الفقرة الأخيرة، عبارة استلفتها من شلال المجنون، راقص الباليه، وكان يرددها دائمًا:

- أجمل رقصة في الدنيا على الإطلاق، تلك التي تؤديها

الدجاجة حين تذبح.

وقبل يوم من موعد عرس والي على أسماء التي لم تود حاستي المتمكنة أن تعمل عليه، لتكتشف إن كانت أنت أم أسماء أخرى، وتؤازرها جثتي المعنوية بشدة في ذلك الرفض، والذي انتبهت إلى أنه يصادف ذكرى تعلقي بك، ولم أستغرب أيضًا، ذهبت إلى الأثر الطلياني، حيث التقيتك لأول وآخر مرة، كنت أود أن أجري آخر اختبار حقيقي لخلاياي، قبل أن أنحرها تمامًا. لم يكن ثمة حفل مقام، ولكن مجرد مبنى راكد، تحولت مقاعده وطاولاته إلى ما يشبه الكافتيريا التي تظهر في المكان، حين لا تكون ثمة أعراس مقامة. جلست على طاولتي منعزلًا، وطلبت كوبًا من عصير الليمون الحامض، بلا سكر، وجاءني به أحد الخدم المرتدين للزي الموحد. كان حليق الرأس والشارب، وقد برز بطنه إلى الأمام قليلًا، وضع الكوب على الطاولة، ولم يذهب. ساعتها نهشته بعيني، واكتشفت بلا دهشة، أنه الأزهري، مساعد ألماني- " أبو الصاحب". ولم أتحرك من جلستي أو أبدي تفاعل من أي نوع. طالت وقفة الأزهري أمامي وبدا مهتمًا بردة فعلي، كما يبدو، يريد أن يراها، ولم أمنحها له. أخيرًا سألني، وكان صوته مضطربًا، لا يشبه أصوات الطباخين المكسرة الناعمة، ولا أصوات ذوي القناعة المتطرفة، الذين يتحدون السلطات:

-هل عرفتني؟.

قلت: لا.. أبدًا.. لم نلتق من قبل.

عندئذ انصرف، يحمل فرحته الخاصة، بأنه قد أجاد التخفي، ولا يدري أنها فرحة مزورة.

بعـد يـوم أو يوميـن على الأرجح، سيكتشـف حكيم الدرل، وجيشـه الأمنـي، أن ثمـة متطرفًـا تكفيريًا هاربًـا، يتخفى في وظيفة نادل، ويعلقونه في مشـنقة بلا قلب، في السـراديب المظلمة. ومن باب الخدمة شبه المفتوح، الذي لم يكن بعيدًا عني، لمحت وجهًا حليق الشارب واللحية أيضًا، يطل للحظة ويختفي، ولم أستطع أن أتبين، إن كان لألماني- « أبو الصاحب»، أم لخادم عادي من خدم المكان.

- 20 -

اليوم، هو الذكرى الأولى والأخيرة، لتعلقي بك، وأيضًا يوافق حفل زفاف والي المستهتر، أخو ليلك، على أسماء التي لن أعرف أبدًا، إن كانت هي نفسها أنت، أم خامة أخرى، بنفس الاسم، تقيم في البستان.

منذ الصباح الباكر، وبلا نوم في الليل كعادتي المكتسبة في السنة الأخيرة، كما تعرفين، وأنا أعمل بنشاط، أفرغت خزانتي الخشبية من محتوياتها القليلة، من قمصاني وسراويلي التي كان بعضها ذائبًا من شدة الاستعمال، وبعضها شبه جديد، اقتنيته أيام أن أصبحت عاشقًا، ذا أمل مريض، مطرز في كل شبر من أشبار حياتي، وضعتها في حقيبة بالية جدًا، كانت فيما مضى تخص بخاري، بعد أن نظفتها من وسخ السنين، وعنكبوت العزلة الذي عشش بداخلها.

جمعت صوري كلها، وذكرياتي، وصورة أمي المعلقة تتأملني كلما دخلت البيت، أو خرجت منه، وصور بخاري نفسه، ردمتها في حوش البيت، أوقدت نارًا وأحرقتها، ثم نظفت الحوش من وسخ الرماد. خرجت إلى الطريق، ذهبت إلى مسجد الحي الذي كنت أقصده لصلاة الجمعة كما أخبرتك، تحاومت زمنًا من حوله، وفارقته. شاهدت مريا البيضاء، ذائبة، مكسرة في الشوارع، ولم تلفت انتباهي، والمارة يتزاحمون حول رجل مسن، مقوس الظهر،

يبيـع خشـبًا محروقًـا، بوصفه ترياقًا للمحبة، ولـم أتوقف، اشـتريت خبزًا، وقليلًا من العسل، ولم آكل.

فـي العصـر، كان كولمبس ينقر على بابي بإصرار، وأنا أصم، ممدد على سـريري الخشـبي ولا أحس به خشـنًا كما كان يحدث، وحيـن اقتـرب المسـاء، وبـدأت رائحـة المـوت، تسـتقطب جثتـي بضـراوة، كان القـرار قـد اتخذ. وبيد ثابتـة إلى أقصى حد، أفرغت السـتين قرصًـا مـن المـادة المنومة فـي حلقي، واتبعتهـا بقليل من الماء، فتحت الدفتر، أضفت بأصابع الجثة الهامدة توقيعي:

المرحوم.